Para

Paula

com votos de paz.

16/08/12

DIVALDO PEREIRA FRANCO
(PELO ESPÍRITO MANOEL PHILOMENO DE MIRANDA)

Mediunidade: Desafios e Bênçãos

CENTRO ESPÍRITA CAMINHO DA REDENÇÃO

SALVADOR (BA)

2012

1ª ed.
15.000 exemplares

Revisão: Profº Luciano de Castilho Urpia / Sérgio Sinotti
Editoração eletrônica: Hayrla Silva
Capa: Cláudio Urpia
Supervisão editorial: Sérgio Sinotti

Coordenação e produção gráfica:
LIVRARIA ESPÍRITA ALVORADA EDITORA
Rua Jayme Vieira Lima, 104, Pau da Lima, CEP 41235-000
Salvador (BA) – Telefax: (71) 3409-8312/13
E-mail: <vendaexternaleal@terra.com.br>
Homepage: www.mansaodocaminho.com.br

Dados Internacionais de Catalogação na Publicação (CIP)
Catalogação na Fonte – Biblioteca Joanna de Ângelis

FRANCO, Divaldo Pereira Franco.
F895 Mediunidade: desafios e bênçãos. / pelo Espírito Manoel Philomeno de Miranda; [psicografado por] Divaldo Pereira Franco. Salvador; Ba: Livraria Espírita Alvorada Editora, 2012.
215 p.

ISBN: 978-85-61879-51-0

1. Espiritismo 2. Médiuns 3. Mediunidade I. Divaldo Pereira Franco II. Manoel Philomeno de Miranda III. Título.

CDD: 133.90

Impresso no Brasil
Presita en Brazilo

SUMÁRIO

Apresentação

A mediunidade é faculdade da alma, que se reveste de células no corpo, a fim de permitir a decodificação da onda do pensamento procedente de outra dimensão, para torná-la entendimento objetivo.

Allan Kardec informa que se trata de uma faculdade que todos os seres humanos possuem, em diferentes graus de percepção, como uma certa predisposição orgânica, sendo raro aquele que não lhe possua qualquer rudimento.

Considerada nas civilizações antigas, especialmente no Oriente e, mais tarde, na Grécia e em Roma, como divinatória, gozou de grande prestígio nesses períodos remotos do desenvolvimento cultural da sociedade.

Com Jesus e, logo depois, durante o período primitivo da divulgação da doutrina cristã, os apóstolos, os seus seguidores em geral e os mártires utilizaram-na em expressiva escala, mantendo o contato com o mundo espiritual, de onde lhes chegavam as energias e o vigor para os enfrentamentos a que eram submetidos entre as tenazes dos testemunhos dolorosos.

Com a ascensão do Cristianismo e a sua funesta vinculação ao Estado, posteriormente, diminuiu de intensidade, ressurgindo numa ou noutras circunstâncias, a fim de que a flama do ideal da verdade não se apagasse por definitivo.

Durante o obscurantismo trágico da Idade Média, passou a ser perseguida tenazmente, por desmascarar a impostura e apontar os crimes hediondos praticados em nome do manso Rabi galileu.

À medida que a cultura libertou-se do tacão dogmático, a mediunidade experimentou novo campo de provas e de experiências em laboratórios, sendo considerada distúrbio psicopatológico ou mesmo degenerescência do ser humano, quando não definida como farsa ou abuso de que se utilizavam os astutos, a fim de enganar os parvos.

Foi Allan Kardec, sem dúvida, quem teve a coragem de a encarar com seriedade e penetrá-la com segurança, realizando investigações audaciosas e significativas.

Partindo da experimentação das ocorrências, o nobre codificador do Espiritismo recorreu às suas causas, não permanecendo na superfície dos fatos, identificando a imortalidade do espírito à disjunção molecular pelo fenômeno da morte biológica como responsável, como agente desencadeador do fenômeno.

De imediato, interrogando esses seres que as produziam, constatou que a vida tem um caráter de indestrutibilidade. A morte não a anula, antes faculta a mudança de um para outro estado vibratório.

Igualmente, descobriu que a lei de progresso é iniludível, ocorrendo automaticamente, assim como pelo próprio desenvolvimento do ser humano que, ao intelectualizar-se, passa a discernir entre o bem e o mal, optando pelas realizações edificantes que lhe conferem os recursos hábeis para a evolução, portanto, para a felicidade.

Estabelecendo métodos de investigação sistemática, interrogando os mais variados espíritos que se comunicavam em diferentes regiões, observando com seriedade os comportamentos daqueles que se apresentavam como seus instrumentos, conseguiu compilar as respostas lógicas às interrogações que lhes apresentava, inclusive organizando critérios para as evocações e as demais técnicas de comportamento compatível com a ética espiritual.

Observou com grande discernimento que a morte a ninguém transforma, sendo somente um processo de ordem biológica, encarregada de transferir para o mundo de origem o espírito momentaneamente encarnado, e que tal ocorrência não altera os seus valores morais, permanecendo cada qual com as mesmas características que lhe antecederam à desencarnação.

Desse modo, desvelou antigos mistérios e enigmas em torno da vida e das suas propostas, constatando a grandeza do amor em todos os momentos, conforme elucidado pela incomparável sabedoria de Jesus.

Ao apresentar a Doutrina Espírita, logo se deu conta da necessidade de escrever uma Instrução prática, esgotada em pouco tempo, a fim de guiar os médiuns e os evocadores, bem como os interessados em comunicar-se com os espíritos com segurança, no intrincado e desconhecido processo das manifestações mediúnicas.

Ampliando as observações e os estudos, descobrindo novos caminhos e detectando diferentes comportamentos, elaborou e trouxe a lume o extraordinário *O Livro dos Médiuns*, que se tornaria o indicador seguro para todos aqueles que se interessassem pela nova doutrina.

A partir de então, no dia 15 de janeiro de 1861, em Paris, data da sua publicação, a humanidade passou a dispor de um seguro guia para conduzir a investigação da mediunidade, assim como a compreensão dos fenômenos que lhe dizem respeito, bem como das ocorrências pertinentes à mitológica travessia do rio Estige na barca de Caronte...

Tornou-se fácil e seguro ao investigador honesto fazer esse percurso com os próprios conhecimentos, munindo-se da oração e da dignidade nas ações, a fim de movimentar-se nas duas esferas da vida com inexcedível júbilo.

❂

Considerando-se as condições de inferioridade do Planeta, em razão do atraso dos seus habitantes, o Espiritismo veio demonstrar, também, os perigos que existem no exercício inconsequente da mediunidade, nos ardis incontáveis das obsessões, nos compromissos graves que devem ser assumidos por todos aqueles que tenham interesse em aprofundar os seus conhecimentos e conquistar a plenitude espiritual.

A reencarnação é abençoada concessão da Divindade para facultar o processo de evolução moral e intelectual do espírito, ampliando-lhe os horizontes da emoção e do discernimento para a ação dignificadora, aprimorando-se sempre mais e superando os obstáculos que se lhe opõem naturalmente pela via ascensional.

Nunca faltam desafios nem percalços na jornada evolutiva; entretanto, pela utilização das bênçãos da mediunidade, quando direcionada para o ministério de Jesus, a consolação e a alegria de viver alternam-se no imo do indivíduo e facultam-lhe o interesse até o sacrifício na ação e vivência da caridade, quando necessário.

A prática saudável da mediunidade é, desse modo, um grande desafio, tendo-se em vista os interesses mesquinhos que vicejam na sociedade, os comportamentos doentios, a psicosfera enfermiça que paira na Terra, condições, sem dúvida, transitórias do orbe, que também progride na escala dos mundos.

Consciente das responsabilidades que lhe dizem respeito, o médium consciente de si mesmo e das lições edificantes do Espiritismo empenha-se com denodo para ser sempre melhor moralmente, esforçando-se por alcançar patamares mais elevados da evolução, sempre objetivando servir mais e melhor.

Embora os seus valores não o impeçam de sofrer, revestem-no de resistências para o enfrentamento das tentações e turbulências muito comuns nas atividades a que se dedica, ao tempo em que resguardam-no da ação perniciosa dos espíritos maus, sempre interessados em obstaculizar a marcha do progresso e desforçar-se daqueles que os hajam prejudicado ou com os quais não simpatizam, dando lugar às graves obsessões.

Precate-se, portanto, o servidor de Jesus, das ciladas desses seres enfermos e perversos, contando com a proteção dos seus guias espirituais que jamais o abandonam ou permitem que lhe aconteçam males que lhe dificultem alcançar a meta do mediumato[1].

A esses laboriosos obreiros do bem e a todos que se encontram em aturdimento na mediunidade ou mesmo os desconhecedores dos fenômenos da desencarnação, da perturbação que advém à morte física e aos fenômenos que lhe são correlatos, dedicamos estas páginas, que foram escritas separadamente, ao longo dos anos, sem a sequência que seria de desejar.

Assim as escrevemos, porque tivemos por objetivo, em cada ocasião, esclarecer ocorrências da época, apresentando as elucidações sábias e lúcidas do Espiritismo.

Amparo (SP), 15 de agosto de 2011

(Manoel Philomeno de Miranda)*

(*) Com esta obra modesta, homenageamos *O Livro dos Médiuns*, de Allan Kardec, pelo transcurso do seu sesquicentenário de lançamento, no dia 15 de janeiro de 1861, em Paris, pelos Srs. Didier e editores. (Nota do Autor espiritual.)

1. Mediumato (do francês *Médiumat*): "Missão providencial dos médiuns. Palavra criada pelos Espíritos". Cfe. *O Livro dos Médiuns*, 62ª ed. FEB, págs. 462 e 487.
É citada também em *O Espiritismo de A a Z*, FEB, pág. 376. (Nota da Editora)

1
A mensageira sublime

Quando o amor exausto, após a jornada cansativa pelos séculos, parou para proceder a um balanço das atividades desenvolvidas, constatou, entristecido, que após tantos e incessantes labores, poucos resultados positivos apresentavam as suas lides edificantes.

O ser humano continuava odiando o outro, a fé religiosa promovia hecatombes e até mesmo a fraternidade, que se iniciara entre os filósofos como um grande ideal, transformara-se em expressivos caudais de sangue...

Em face das conjunturas e conclusões, não se pôde furtar às lágrimas abundantes que passou a verter, emocionadamente, dominado pela tristeza.

Súbita aflição desencadeou-se-lhe no íntimo, e sem mais poder dominar a emoção, permaneceu em pranto, como decorrência do acurado exame retrospectivo das suas realizações.

Desde a partida do Nazareno, brando e gentil, no cimo da cruz, saíra solitário pelos caminhos, recolhendo os desertores e os amedrontados discípulos, mantendo colóquios e usando a voz da saudade em evocações inesquecíveis das Suas lições.

Recordou-lhes os ensinos renovadores ouvidos junto às águas plácidas do mar da Galileia, em tardes e noites incomparáveis, sob as claridades do Sol ou o lucilar das estrelas, ou ainda nas louras manhãs adornadas de luz...

Reunira-os, concitando todos para a preparação da seara a que Ele se referira inúmeras vezes.

Posteriormente, na inolvidável região galileia, antes do crepúsculo, estivera na multidão agônica, despedindo-se também do Amigo incomum, disposto a ficar entre os homens e mulheres para dar continuidade às labutas ásperas do cotidiano das existências.

Desde então, palmilhara sendas difíceis, assinaladas por impedimentos de toda ordem, nunca se permitindo esfriar a ardente devoção pelas almas, cujas lágrimas enxugava, falando-lhes a linguagem do perdão, e a todos os perseguidos que clamavam por desforço ou justiça...

Durante três sucessivos séculos de intermináveis martírios para os seguidores do Crucificado, disfarçara-se, ora como tolerância que entende, noutros momentos como esperança que abençoa, como alegria que se exalta em perder, se disso depender a felicidade de outrem, sempre em forma de fraternidade que edifica...

Vencera desenfreadas refregas e nunca, uma vez sequer, desanimara nos objetivos essenciais, ante os campos juncados dos cadáveres daqueles abnegados servidores da fé, dos tutelados do seu programa, encarregados de alargar os céus do entendimento humano.

Acompanhara a mensagem do Carpinteiro incompreendido liberar-se da arena sangrenta para galgar as escadarias palacianas, seguindo ao seu lado, fazendo parte do cortejo que então se adornava de pompa e de poder, sem que, todavia, fosse notado pelos exaltados triunfadores do momento...

Acompanhara homens verdadeiros e, lamentavelmente, depois das suas grandes vitórias nas aventuras políticas, fora expulso dos domínios conquistados, voltando a caminhar pelos escusos antros entre sombras atormentadas, tentando falar-lhes, mas aguardando a hora de poder retornar ao seu convívio...

Na solidão a que fora relegado, longe do ouro e do luxo, somente de quando em quando podia visitar os tronos e falar aos tiranos, oculto nas vestes de artistas incompreendidos, desbravadores perseguidos e fiéis servidores da mensagem imortal, à hora dos julgamentos arbitrários e das mortes triunfantes, usando a linguagem silenciosa do heroísmo.

Sempre usara a voz da discrição aos homens arrebatados antes das guerras de religião, evocando o Pacificador esquecido, inutilmente, e quando conseguira ensejo, não lograra pronunciar mais do que expressões ligeiras em balbúcios de alento e de olvido ao mal, junto aos ouvidos dos atormentados na fronteira da morte, banhados de suor e de lágrimas...

Nos movimentos de restauração da fé entre pensadores avançados correra pressuroso, mas logo verificara que a ardência do entusiasmo e a força dos cismas logo se transformavam em guerras fratricidas e em assassinatos legais, oferecendo seus recursos aos incinerados nas fogueiras e trucidados nos postes de martírio...

Sem receio, deixara-se içar com as velas dos descobridores audaciosos em mares bravios e desconhecidos, visitando terras novas, carregando com renovado esforço e entusiasmo os tesouros das possibilidades de disseminar o afeto entre todos os povos recém-conquistados... Todavia, em breve, sentira-se incompreendido, uma vez mais, quando o látego, em nome da civilização, lapidava os dorsos nus dos que foram feitos escravos sob o beneplácito da Lei e a proteção da cruz em que perecera o Todo misericordioso...

Apesar disso, falara aos seres submissos, animando-os na inquietação e consolando-os na profunda saudade das longes pátrias e distantes famílias, voltando suas esperanças para o futuro, e dilatando-as, quando as lágrimas dos seus olhos cativos emocionavam os livres...

(...) Olhando para trás só havia escombros e, entre ruínas, umas raras florações do seu hinário cantado pelo Poeta da vida no mandamento maior, derramando perfume alentador.

Aturdido ao peso de tantos desencantos, o amor prosseguiu chorando e, com a voz embargada, suplicou ao Compassivo coração atendimento ao seu relatório e urgente socorro, a fim de que o empreendimento que lhe fora confiado não descambasse para a morte e o esquecimento.

Após demorada meditação entre anseios e preces, o amor escutou a voz inolvidável, como se retornasse do silêncio dos séculos a falar-lhe confiante e bondosa:

> Dar-te-ei alguém que de agora em diante cobrirá tuas pegadas, por onde quer que vás, com o perfume da minha ternura. Estará ao teu lado em todas as investiduras novas e falará no teu silêncio com a poderosa voz da ação realizadora. Jamais tornarás pelas sendas do serviço a sós.

Calou-se a voz sublime.

Foi então que o amor, erguendo-se, fitou o céu... Dourado raio luminoso rasgou as distâncias e modelou no ar um flamejante coração que, após graciosos movimentos, desceu, fundindo-se no seu coração.

Começava ali uma era nova para a fé.

O *Consolador* abria agora a cortina de um novo mundo, inaugurando o reinado anunciado por Jesus-Cristo e, quando as trombetas anunciaram os tempos chegados, Allan Kardec, o escolhido pelo Mestre Jesus, colocava como enunciado máximo da doutrina que em breve iria iluminar a Terra, o grandioso mandamento:

"Fora da Caridade não há salvação."

E hoje, em todo lugar onde brilha a luz clara e bendita do Espiritismo, encontramos o amor e a caridade, unidos, construindo o mundo cristão.

2
Sofrimentos morais no além-túmulo

A simples desencarnação de forma alguma liberta o espírito dos seus hábitos e necessidades até então cultivados.

Impregnado pelas sensações em que se demorou, quando, interrompidos os vínculos carnais, permanecem os mesmos condicionamentos, impondo-se com expressões que exigem atenção e cuidados;

Sensibilizado pelos impositivos que lhe constituíam recurso vital para a fixação no corpo, o perispírito continua canalizando para o ser espiritual os conteúdos que proporcionam alegria ou dor, conforme o teor vibratório de que são formados.

Os vícios mentais, os hábitos orgânicos e sociais, as ações desenvolvidas, são elementos que nesse período somam-se às impressões vigorosas nas tecelagens delicadas do espírito, transformando-se em sensações e em emoções correspondentes.

Algumas são tão fortes que se fazem correspondentes às físicas anteriormente vivenciadas, transformando-se em bênçãos, quando elevadas, ou incomparável suplício, se formadas por energias deletérias.

Convertendo-se em necessidades, impõem atendimento orgânico, como se a argamassa fisiológica se mantivesse em funcionamento.

Como é compreensível, o interromper de um hábito qualquer, por circunstância não elegida, não consegue anular-lhe o condicionamento, particularmente se for acolhido por largo período, no qual a pessoa se comprazia, centrando os interesses mentais e emocionais no seu desfrutar.

Transformando-se em martírio que não diminui de intensidade, em razão da carência não atendida, inflige sofrimentos morais de difícil definição.

Adicionem-se a essas sensações as ânsias, mágoas, angústias e o despertar da consciência que faculta a avaliação das experiências fracassadas e torna-se volumoso o fadário que enlouquece muitos recém-desencarnados.

A autoconsciência é responsável pela ressurreição de *fantasmas* que pareciam extintos ou esquecidos, mas que, nessa hora, ressumam dos refolhos do inconsciente, assumindo forma e tomando força, transformando-se em algozes implacáveis, cujas aflições impostas se caracterizam pelo superlativo.

A descoberta do tempo malbaratado, a constatação dos erros e delitos perpetrados, o arrependimento tardio, formam componentes punitivos que camartelam o ser espiritual, transtornando-o.

Todos os sofrimentos são dilaceradores nas *carnes da alma;* no entanto, aqueles de natureza moral são mais severos, porque, ínsitos no âmago do ser, não dão trégua a quem os padece.

Sem o costume salutar da oração lenificadora nem da meditação saudável, a vítima de si mesmo não encontra conforto para minimizar-lhe a intensidade, entregando-se à degradação da revolta ou ao abandono na agonia com que mais se agravam as aflições íntimas. Estorcegam, então, sem consolo moral, atirando-se pelos resvaladouros da rebeldia e da blasfêmia, exaurindo-se e desfalecendo, para logo retornarem sob a mesma carga aflitiva da sua realidade interior.

Tal ocorrência tem lugar porque ninguém foge das suas conquistas, das suas realizações pessoais.

Desalojado o espírito do domicílio celular, prossegue como antes, com a diferença exclusiva de encontrar-se desvestido da couraça orgânica.

Todos os seus valores permanecem inalterados, assim como os seus desejos e vinculações.

A frustração amarga por não poder administrar a máquina atual conforme o fazia com a orgânica, exaspera e alucina.

A nova dimensão para a qual se transferiu mediante a morte do corpo tem as suas próprias leis e constituição que não se alteram quando enfrentadas ou agredidas pelos que a alcançam.

O ser humano é essencialmente o conjunto dos seus hábitos a que se submetia, antes de conduzi-los, e mais lhes sente a pressão em face do novo campo vibratório em que se encontra.

As dores morais no além-túmulo são uma realidade muito significativa, como sucede em relação à felicidade, à alegria, ao bem-estar, à paz, para aqueles espíritos que se conduziram na Terra com retidão, equilíbrio, lucidez, abnegação.

Com admirável coerência, acentuou Jesus: "*A cada um conforme as suas obras*".

A morte, portanto, é a grande desveladora da realidade para todos quantos se encontram em trânsito pela névoa carnal, rumando, mesmo que sem dar-se conta, para a vida plena.

Alargar os horizontes mentais para a contemplação da madrugada imortal, deve ser o compromisso de todos os seres humanos, mediante a vivência do dever reto, da consciência digna e dos pensamentos saudáveis.

O FENÔMENO MORTE

A morte ou desencarnação desveste-se de todo e qualquer mistério ante as clarinadas de luz do pensamento espírita.

Multimilenarmente incompreendida, gozou, no passado, de macabras expressões, por ignorância das Divinas Leis, sendo punição aos seres humanos como se eles houvessem sido criados para a eternidade física.

Em outras circunstâncias, foi envolvida pela mística religiosa, por cujos cerimoniais se podiam anular as aflições, alterar os comportamentos, premiando injustos em detrimento dos espíritos nobres que poderiam ser castigados através de arbitrárias situações infernais.

Em outras situações, era ainda tida como etapa final, aniquiladora do ser, reduzindo-o a pó e desintegrando-lhe a energia pensante, que volveria ao caos da origem.

A realidade, porém, é diversa.

Fenômeno de transformação orgânica, liberta o espírito, que se transfere de campo vibratório conduzindo o patrimônio moral e intelectual de que se faz possuidor.

Conduzindo o ser presente de volta à esfera de origem, o mesmo carrega os valores transcendentes que acumulou, que o impregnam e de que se utilizará após o despertamento.

Sendo energia, mediante a lei de afinidade ou de sintonia, faz-se atraído por forças equivalentes, vinculando-as às regiões que têm as mesmas características vibratórias.

Em face dessa ocorrência inevitável, o despertar da consciência é sempre acompanhado pelas alegrias ou remorsos, conforme haja sido a conduta vivida durante o trânsito terrestre.

Nem poderia ser diferente, porquanto cada indivíduo é, interiormente, o que amealhou, caracterizando-se pelos conhecimentos adquiridos, assim como pelas ações praticadas.

Os recursos transitórios – bens materiais, haveres outros, saúde, família – possuem a finalidade de oferecer-lhe meios para a evolução de que se deve utilizar com sabedoria, a fim de que não venha sofrer-lhes a constrição perturbadora da desnecessidade onde passa a viver e ali não tem qualquer significado.

Assim, os tesouros morais de fácil condução e difícil conquista são o sagrado patrimônio da vida. Não tomam espaço físico nem contêm pesos incômodos, revestidos de alto valor, por lenificarem os sentimentos e plenificarem o seu possuidor.

Dessa forma, permanecem imantados ao espírito os hábitos físicos e morais que geraram condicionamentos, as aspirações que se fizeram emulação para os atos, as ações que podem ser consideradas como asas de libertação ou algemas retentivas na retaguarda...

Por isso, três são os meios pelos quais se expressam os vícios e as virtudes: em pensamentos, palavras e atos.

Conforme seja o seu cultivo – vícios ou virtudes – o espírito despertará com as impressões vivas que lhe são correspondentes.

Desse modo, a vida física é educandário eficiente, por facultar a aquisição dos recursos superiores mediante a superação das paixões primárias, asselvajadas, substituídas pelas emoções do amor, do bem e da realização.

Enquanto vigerem os sentimentos apaixonados, as aspirações perturbadoras, as vinculações dolorosas com outras mentes espirituais, o espírito será induzido às pugnas da inferioridade, às obsessões cruéis, de breve ou longo curso, até que se resolva pela modificação interior, pela canalização das forças emocionais e morais corretamente no exercício do desdobramento das energias divinas latentes no imo, heranças do Pai Criador, momentaneamente adormecidas.

O despertar deve acontecer quanto antes, aproveitando-se as oportunidades atuais para retificarem-se erros, corrigirem-se situações penosas, libertar-se de dependências infelizes...

Sempre é tempo para recomeçar-se, edificar-se, enquanto no corpo, desde que, ocorrendo a desencarnação, passa-se à colheita das ações e a reabilitação dar-se-á somente na Terra mesmo, quando luzir a claridade de outra reencarnação.

Todo o empenho pela transformação moral deve ser investido sem limite, a fim de que, desperto, desde hoje, o espírito se liberte do veículo físico liberado, como alguém que se desincumbiu do dever e superou os limites provacionais.

Despertar doloroso

Diariamente aportam nas praias da imortalidade dezenas de milhares de náufragos do barco orgânico, apresentando lamentável aspecto.

Assinalados pela grave travessia, para a qual não se prepararam – da Terra para o Além-túmulo – chegam aflitos, em deplorável perturbação, confundindo a realidade de onde procedem com as legítimas, que ora defrontam e não as podem identificar.

Sucedem-se, quais ondas volumosas, aumentando o aturdimento, que se generaliza, produzindo rude pandemônio, no qual as blasfêmias e altercações geram truanescas situações, que asselvajam, atirando uns contra os outros, bestiais e desditosos...

Ignorando de propósito o lado espiritual ou negando-o pelas fixações hedonistas a que se permitiram, da vida somente consideraram o prazer, entregando-se à volúpia da autossatisfação, embriagando-se no licor da inferioridade preservada.

Repudiando qualquer possibilidade de sobrevivência do ser ao fenômeno da morte, acreditaram-se indestrutíveis no corpo ou privilegiados pela existência, que lhes reservaria somente favores, embora a larga expressão de desventura e de sofrimento na volta que desrespeitaram caprichosamente.

Incontáveis deixaram-se empolgar pelos conceitos religiosos comodistas, que lhes concederiam condições especiais, logo lhes ocorresse a ruptura dos laços carnais...

Sem dar-se tempo nem oportunidade para um exame mais cuidadoso a respeito da morte, transferiram reflexões e cuidados para quando se sentissem depauperados ou vitimados pelas enfermidades terminais, sendo surpreendidos sem o ensejo que pareciam esperar e alcançaram o mundo espiritual desequilibrados, ignorantes da sua realidade.

Mais lamentável, no entanto, é a situação daqueles que conheciam a imortalidade e não lhe deram a atenção ou o respeito que merecia.

Desinformados, assim como não considerando a transitoriedade do organismo físico, viveram como se a situação não sofresse alteração e a morte somente lhes aprouvesse quando se considerassem em condições de abandonar os jogos da ilusão.

Convocados, porém, de improviso, ao retorno, apresentam-se mais perturbados do que os outros sob os rudes cilícios da *consciência de culpa* decorrentes da irresponsabilidade na conduta, bem como da ausência de recursos que os possam ajudar.

Sem equilíbrio emocional ou resistência psíquica, enlouquecem, ao dar-se conta da sobrevivência, e negam-se a despertar, postergando a tomada da lucidez responsável que os credenciaria ao prosseguimento.

Apegam-se aos despojos carnais e mantêm as fixações mentais perniciosas, sendo necessário interná-los em sanatórios especializados que a caridade dos abnegados mensageiros de Jesus vem edificando em benefício desses pobres delinquentes.

Travaram contato com a revelação espírita, participaram dos memoráveis eventos espirituais do intercâmbio mediúnico, porém não modificaram a visão sobre si mesmos ou a sua conduta, tornando-se parasitas no grupo social ou belas personalidades aplaudidas nos cenários do mundo, mantendo a individualidade atormentada e venal, que não modificou a forma de ser ou de comportar-se.

Espiritualistas em geral e espiritistas em particular, comprometidos com a libertação pela fé, que não quiseram honrar ou viver, retornam às paisagens da imortalidade chagados e vitimados, requerendo os socorros de emergência, quando poderiam despertar em clima de paz e de vitória.

Entre esses irmãos mais infelizes pela responsabilidade própria destacam-se os portadores do mandato mediúnico, que se deixaram corromper e fracassaram lamentavelmente, vitimados pelo orgulho que cultivaram com soberba e pedantismo, atribuindo-se títulos de merecimento que estavam longe de possuir.

Psiquicamente perturbados pelas viciações a que se entregaram, ainda se fazem vítimas de espíritos perversos com os quais se homiziaram na insensatez, deixando-se por eles conduzir enquanto enganavam os outros e mais se equivocavam em conúbios obsessivos de longa duração.

A morte física, inevitável, colhe todos os seres sencientes e leva-os ao despertar conforme as experiências vivenciadas.

Estabelecida pelos superiores critérios da vida, a ninguém poupa, insculpindo no mundo íntimo de cada qual os painéis que serão a sua futura realidade, na qual, porém, vinculado às suas realizações íntimas que se exteriorizam, então, elabora o campo vibratório no qual se aprisiona ou se libera, aí recomeçando o processo de crescimento mediante dores ultrizes ou elaborando as *asas* para ascender aos mundos felizes.

Áspero, árduo despertar aguarda as mulheres e homens informados da imortalidade, que não se permitiram as realizações depuradoras, nem as ações de enobrecimento pessoal indispensáveis à paz.

Por certo, considerando tais ocorrências e outras mais, Jesus acentuou com propriedade, que será concedido *"a cada um conforme as suas obras"*.

Amnésia espiritual

A grave questão sobre o despertar dos espíritos recém-desencarnados e a sua consequente recordação da experiência concluída merecem valiosas considerações.

Pensam, muitas pessoas desinformadas e também alguns adeptos das fileiras espíritas, que o fenômeno morte, que despe o ser do seu invólucro material, igualmente concede-lhe de imediato lucidez e, consequentemente, conhecimento da sua situação na erraticidade.

De início, seja dito que não existem duas desencarnações iguais; por efeito, também não existem dois despertamentos idênticos no mundo espiritual. Cada espírito é a soma das experiências vivenciadas, com as tribulações e conquistas que facultam ou não o discernimento próprio da ocorrência após a morte.

Conforme o tipo de desencarnação – violenta, por acidente, homicídio, inundação, incêndio, por distúrbio orgânico, lentamente, em razão de enfermidades dilaceradoras e virulentas, suicídios de várias expressões, largas enfermidades e a correspondente conduta durante as mesmas, estado psicológico que anteceda as cirurgias – assim caracterizará a conscientização no após túmulo.

Aqueles que se compraziam no sensualismo, na avareza, no despotismo, na crueldade, vinculados aos despojos tentam reanimá-los, e pelo não conseguir, enlouquecem ou hebetam-se por largo período de sofrimento.

Outros tantos, que superaram os limites, vivendo testemunhos honrosos e provações lenificadoras, afeiçoados ao dever, ao bem e à caridade, abandonam o casulo com alegria, e, em saudades, singram os espaços atraídos para as regiões felizes a que fazem jus.

Inumeráveis, que viveram no fragor das lutas, confiantes e trabalhadores, são recolhidos carinhosamente pelos afetos que os precederam e os conduzem a pousos de refazimento e orientação, despertando-os suavemente sem choques traumatizantes...

Cada grupo, conforme os hábitos cultivados, permanece vinculado às paixões terrenas ou atraído pela nova situação, de forma a se adaptar com equilíbrio ao novo estágio da vida – o verdadeiro.

Da mesma forma, quantos se transformaram em campo mental infestado por obsessões, logo se lhes ocorre a desencarnação, sofrem o assalto dos cômpares vibratórios, seus algozes, que os arrastam para os sítios de sevícias e aflições, que se prolongam até recomposição estrutural ou quando neles luzir a misericórdia do amor...

Compreensivelmente, o despertar da consciência depende das próprias condições de harmonia ou de desequilíbrio pessoal.

Nos espíritos saudáveis, a perturbação é rápida, embora permaneça breve amnésia sobre a recente existência concluída, que se vai diluindo até que as lembranças em caleidoscópio de recordações equipem-se de claridade mental e de conhecimento.

Unanimemente, a respeito das lembranças de outras existências transatas, permanece o olvido, que somente abre espaço para ocorrências que podem ser úteis e com fim providencial.

À medida que assume a realidade espiritual, painéis ricos de lembranças felizes tomam corpo, facultando melhor compreender os fatos próximos passados, tornando-se lógicos. Igualmente, surgem as recordações sombrias carregadas de culpa, caso não hajam sido reparados aqueles delitos, provocando tristeza e desejo de recomeço para superá-los. Traçam-se, nesses momentos, planos para futuros mergulhos no corpo, em tarefas de ressarcimento e socorro àqueles que lhes padeceram a conduta inconsequente.

Ao mesmo tempo, alegria imensa os invade, ao compreenderem a justeza das soberanas leis, que sempre conduzem para o Bem, embora a diversidade de caminhos.

Questões e situações que pareciam de suma importância durante a vilegiatura carnal, agora, quando despidos dos limites orgânicos, compreendem-nas melhor, e até sorriem da atitude ingênua com que se conduziram. Fazem recordar-se da postura de, quando adultos, consideravam os comportamentos infantis que se apresentavam naquele período de sumo valor...

Não são poucos os espíritos que desencarnam e reencarnaram sem dar-se conta de um e do outro fenômeno, vitimados por doentia amnésia sobre os acontecimentos.

Multidões deambulam nas esferas espirituais inferiores sem conhecimento de si mesmas, sem recordações dos afetos ou dos adversários, desmemoriadas, sofrendo superlativas aflições.

Incontáveis, por outro lado, embora se apercebam da fase nova, não conseguem recordar-se de nomes, datas e antecedentes pessoais, exceto aqueles que foram mais expressivos e se imprimiram com vigor nas tecelagens do perispírito.

A amnésia espiritual é capítulo da imortalidade que permanece desafiador, oferecendo advertências aos homens e mulheres, para que se desimpregnem das grosseiras fixações que são cultivadas nos campos das sensações perturbadoras, que sempre prosseguem além do corpo, em tormentosas *necessidades* que anulam outros tipos de vivências, mergulhando-as em esquecimentos afligentes.

Cabe ao ser lúcido, que empreende a tarefa da autoiluminação, reflexionar de quando em quando a respeito dos próprios clichês mentais, selecionando-os, a fim de que, no momento de desvestir-se do corpo físico, nele fiquem as impregnações que lhe dizem respeito, não conduzindo aquelas que são perturbadoras nos arquivos da mente.

A morte é somente transição, veículo que conduz o viajante de uma para outra faixa vibratória, vestido ou liberado das opções a que se afervorou durante a experiência orgânica.

O cultivo das ideias superiores, o conhecimento a respeito da vida após túmulo, as ações de fraternidade e de caridade cristã, os hábitos morigerados contribuem para a liberação da amnésia após o decesso celular, facultando a identificação da realidade espiritual, bem como dos amigos que o aguardam além da fronteira física, para o conduzirem em júbilo de volta ao Grande Lar.

Remorso e loucura

Na classificação das psicopatogêneses das alienações mentais, os conflitos exercem preponderância, especialmente aqueles que defluem do comportamento exterior divergente da forma pessoal de ser da criatura.

Assim, o remorso, mesmo quando significa o despertar da razão pelos complexos mecanismos que desencadeia, é fator de perturbação emocional, no além-túmulo, levando o espírito à loucura.

O desvestir-se da ilusão e o simultâneo enfrentamento da realidade produzem choque psicológico que aturde mais gravemente quando o paciente espiritual dá-se conta dos prejuízos causados tanto a si mesmo como aos outros.

Ações perniciosas que, a seu tempo, apresentavam-se como as únicas compatíveis com as ocorrências; traições venais que resultaram em prazeres rápidos, deixando lesados profundamente aqueles que as padeceram; conciliábulos nefastos que redundaram em desgraça para outros; subornos que corromperam ingênuos ou débeis morais, infelicitando-os; manipulações com objetivos inferiores que culminaram em alucinações ou homicídios nefandos, enfim, toda ação degradante que se consubstanciou em sofrimento desnecessário para o próximo, quando examinada pela leitura do remorso, converte-se em ácido a requeimar a consciência que, desaparelhada de equipamentos morais elevados, desajusta-se, permitindo que se instalem no futuro cérebro físico as distonias da loucura a experienciar...

Não apenas esse acontecimento tem lugar no mundo material, mas também e, principalmente, no espírito após a desencarnação.

Anestesiada pelo ódio ou pela jactância, pelo orgulho ferido ou pela astúcia, a consciência se liberta dos vapores que a obnubilavam e, repassando as experiências vividas durante a vilegiatura fisiológica no mundo sensorial, desestrutura-se.

Os fatos mais vigorosos que se fixaram no inconsciente afloram e os reexamina sob a óptica do arrependimento, abrindo espaço para a instalação do remorso dissolvente, que leva ao desespero, pela falta de oportunidade momentânea de reparação, empurrando a vítima para a loucura em espírito.

Escritores perversos que induziram mentes despreparadas ao crime, às paixões primitivas, à obscenidade; atores insensíveis que personificaram indivíduos cruéis e degradados, que voltaram a influenciar o público galvanizado pelo seu desempenho; artistas e poetas, médicos e terapeutas infelizes que propuseram o suicídio como solução para os sofrimentos; sacerdotes da ciência e da fé que corromperam, que praticaram a eutanásia e o aborto, que fomentaram o desrespeito às Leis da Vida; periodistas que se fizeram modelo da degradação humana, infelicitando vidas em floração, enfim, todos esses campeões dos triunfos terrestres mentirosos despertam além do túmulo e, dando-se conta dos atos ignóbeis que praticaram, ao acordarem para a realidade que ora enfrentam, ficam tomados de horror por si mesmos e fogem para lugar nenhum, enlouquecidos, hebetados...

Isto quando não ocorre serem aguardados pelas vítimas que tombaram no fosso escuro e hediondo das suas propostas e tramas, apresentando-se-lhes dementadas ou com aspecto vil, acusando-os, ameaçando cobrar-lhes o desvario, desejando vingar-se, o que se lhes transforma em carga insuportável para os limites da consciência torpe que buscam anular no corredor da alucinação...

É certo que muita hediondez é concebida e praticada no mundo sob a inspiração dos espíritos maus. No entanto, convém ressaltar que essa ocorrência é resultado da afinidade, da sintonia que proporcionam àqueles que se lhes transformam em parceiros, quando poderiam optar pelo Bem que se encontra em toda parte, assim como pela inspiração contínua que verte do Alto em direção a todas as criaturas.

Mais grave se apresenta o problema quando os incursos nos gravames são religiosos que têm conhecimento da sobrevivência da alma à morte do corpo, informados da Divina Justiça e da colheita que cada um realiza compulsoriamente após a sementeira humana.

Os espiritualistas em geral, e os espiritistas em particular, quando se comportam irregularmente, mascarando os erros e os males que se permitem com bem urdida dissimulação e hipocrisia, mais rapidamente enfrentam os tresvarios transferidos de lugar vibratório, sem deles poderem fugir, desequilibrando-se ao recordá-los, ao serem dominados pelo áspero remorso.

Para albergar a imensa mole desses espíritos que enlouquecem após a desencarnação, entidades nobres vêm edificando *clínicas psiquiátricas especializadas* no Além, para recolherem os desafortunados que se permitem iludir, mantendo comportamento duplo, falando corretamente e agindo criminosamente, escondidos, disfarçados, mas não ignorados por eles próprios, pela consciência.

O grande juiz do ser está nele ínsito, insculpido.

Os atos se lhe inscrevem no ser e constituem-lhe a realidade intransferível da qual ninguém se pode evadir.

Considerando a gravidade da questão, Jesus foi muito claro, quando afirmou: *"As obras que eu faço em nome de meu Pai dão testemunho de mim"*, conforme anotações de João, no cap. 10, vers. 25, das suas narrativas evangélicas.

Ele, que é o Ser por excelência, recusou as disputadas honrarias terrestres, as vãs titulações humanas, havendo preferido a convivência com os sofredores e infelizes, à competição com os ludibriados pela ilusão, consciente de que somente os valores eternos – o amor, a beneficência, o perdão, a misericórdia e a caridade – permanecem como verdadeiro triunfo após a cruz dos testemunhos e provas pelos quais todos deverão passar.

Dessa forma, medite-se seriamente em torno da conduta e do pensamento individual, trabalhando a consciência para liberá-la de futuro remorso cruel que leva à loucura.

3
Ainda a identificação dos espíritos

Investigadores cuidadosos perscrutam a imortalidade da alma utilizando-se dos mesmos parâmetros com os quais examinam e decidem sobre a legitimidade de ocorrências e valores materiais.

Sinceramente cautelosos, desejam que as provas da imortalidade sejam de tal forma robustas que nenhuma dúvida possa pairar em torno das personagens que, nas comunicações, dizem haver sido quando na existência física. Equivale a exigir-lhes, por todos os meios possíveis, demonstrações do caráter, do comportamento, da psicologia e das lembranças exatas a respeito de pessoas e acontecimentos com os quais tiveram contato.

Não se dão conta, esses pesquisadores, de que a morte é apenas uma mudança de *roupagem*, uma transferência de posição vibratória, sem que ocorram fenômenos miraculosos que envolvam e transformem os mortos.

Além do corpo, as ocorrências não diferem expressivamente daquelas que se dão na esfera orgânica. E como sói acontecer, a memória passa pelos mesmos condicionamentos que sucedem quando expressivas emoções surpreendem o indivíduo na Terra. O esquecimento não é apanágio exclusivo do ser carnal e, não sendo, portanto, de estranhar que o mesmo suceda além do silêncio sepulcral.

Ocorrências comezinhas apagam-se na memória dos espíritos, datas se diluem, lembranças se anulam temporariamente. Somente a pouco e pouco, depois de processos cuidadosos de recuperação, voltam a consciência, a lucidez e as recordações, qual ocorre no mundo após os grandes choques traumáticos.

De outras vezes, esperam que os espíritos façam-se identificar pelos maneirismos, vocabulário, postura, indumentária, qual se prosseguissem como clones dos últimos vestígios corporais sem qualquer alteração.

Mesmo durante a reencarnação, todos passam por transformações periódicas, de superfície e profundidade, por mudanças de pensamentos e hábitos, de vocabulário, conforme a cultura que se adquira, com as diferenças estruturais na aparência física e na vida mental, conforme as experiências e os recursos de que se fazem portadores.

Igualmente, no processo *post-mortem* dão-se expressivas mudanças nas estruturas do ser, de acordo com a sua nova realidade e adaptação a ela.

Convenhamos que os Espíritos esclarecidos apresentam-se despreocupados das características terrenas, mais interessados com o conteúdo das suas mensagens do que com a forma em que são expressas.

Não mais os impressionam os formalismos terrenos, as paixões sociais ou os caprichos familiares. Com uma visão responsável sobre a vida, cuidam do essencial e das consequências relevantes dessas comunicações, como é de esperar-se de qualquer cidadão digno na Terra.

Os conceitos que adquirem e a percepção da Espiritualidade tornam-se-lhes valiosos, preponderantes, na sua atual condição, mesmo tranquilizando-se em relação com aqueles que neles creiam ou não. Sabem, por experiência pessoal, inamovível, que a morte é fatalidade biológica de que ninguém se eximirá, e que aqueles que ora duvidam constatarão mais tarde qual lhes ocorreu. Embora tenham interesse em fazer-se identificar, o seu objetivo maior é de relevância moral, isto é, despertar os encarnados para a vida que os aguarda após o fenômeno da morte. Não se agastam, quando não são acreditados, nem se afligem, porque não são ouvidos.

Os espíritos lúcidos têm como meta nas suas comunicações chamar a atenção para a preparação de cada ser, no que lhe diz respeito pessoal sobre as suas conquistas íntimas e sua conduta em relação ao porvir.

Os que são atrasados, se sofredores, têm a memória bloqueada, as emoções confundidas, experimentando aflições inumeráveis de que desejam libertar-se, totalmente desinteressados das excogitações dos investigadores ou daqueles com os quais se comunicam; se inferiores, desconhecem as leis que regem a vida e atropelam-se, transmitindo perturbação; se mistificadores e galhofeiros, comprazem-se em gerar conflitos, propondo situações ridículas, oferecendo informações contraditórias, confundindo aqueles que lhes dão atenção. Afinal, os mortos são as almas dos homens desembaraçadas do corpo, nada mais que isso.

Além destas circunstâncias, há a questão grave dos registros mediúnicos responsáveis pelo intercâmbio.

O médium é o *instrumento* que traduz o pensamento dos Espíritos, e não um ser especial, infalível, irretocável. Desejar que seja um *canal* sem impedimento, por onde passem as informações espirituais sem qualquer interferência, é esperar-se demasiado. Trata-se de um ser como outro qualquer, com recursos orgânicos especiais e, por maior neutralidade que mantenha na comunicação, *filtra* a mensagem que se exteriorizará com o potencial de que se faz portador, e não com a qualidade inicial com que foi gerada.

O mais belo raio de Sol, ao ser filtrado por um vidro, se manifestará com a coloração da lâmina que atravessa. De igual maneira, a água flui da nascente pura e assimila os conteúdos do leito por onde se expande.

O médium, na condição de criatura humana, tem as suas necessidades, conquistas, realizações, sendo, portanto, uma individualidade que pensa. Compreensível que, de uma ou de outra forma, contribua com algo pessoal na transmissão da mensagem.

Certamente, a identificação dos Espíritos é valiosa na área das pesquisas, como contribuição para a constatação da sobrevivência do ser à morte física.

Allan Kardec, preocupado em estabelecer métodos e regras para discernir e aquilatar sobre a identificação dos Espíritos* usou do bom senso, advertindo sobre os perigos e os equívocos que sucedem na fenomenologia mediúnica, reconhecendo, entretanto, que o importante é o conteúdo moral da comunicação, pelo significado de libertação das consciências, que é a meta a ser alcançada. (*O Livro dos médiuns* – Cap. XXIV – *Da identidade dos espíritos*.)

Diante dos espíritos que se comunicam, observem-se o conteúdo da mensagem, o caráter moral do médium e, posteriormente, o comunicante, buscando-se, em diálogo lúcido, quando for o caso, excogitar-se da sua identificação.

Nas comunicações autênticas, sem exigências nem descabidas suspeitas, os sinais e caracteres de identificação pessoal tornam-se evidentes de tal forma que a certeza se expressa produzindo o inefável bem-estar de confirmar-se a imortalidade, recebendo-se dela a consolação da vida imperecível.

4
Formas pensamento

No complexo capítulo das obsessões avulta uma ocorrência grave, que passa, não raro, despercebida de alguns estudiosos dessa grave psicopatologia espiritual.

Desejamos referir-nos às perturbações denominadas como formas pensamento.

Em sua realidade estrutural, o pensamento é neutro, canalizando a força de que se constitui conforme o direcionamento que lhe seja dado.

Conseguindo plasmar as ideias que assumem expressões transitórias, aureola-se de energias saudáveis, quando cultiva o amor, as aspirações de enobrecimento, o Bem.

Da mesma forma, reveste-se de miasmas que configuram expressões angustiantes, tormentosas.

O pensamento é energia dinâmica em contínua movimentação.

Irradiação dos equipamentos mentais, executa ações que se tornam somatizadas pelo organismo, tanto para o equilíbrio quanto para a desordem emocional e celular, abrindo espaço, nesse último caso, para a instalação de muitas enfermidades.

Orientado de forma saudável, atua no seu campo vibratório de maneira compensadora, qual ocorre nos casos das autoterapias pela oração, meditação, visualização ou através dos medicamentos placebos que, absorvidos em clima de confiança, produzem efeitos maravilhosos.

Igualmente, em face da evocação de acontecimentos passados ou da captação visual, auditiva e olfativa de alguma coisa, conduz a memória aos momentos já vividos em torno daquelas ocorrências ou produz reações orgânicas nos aparelhos digestivo, sexual, nervoso...

Em razão da tendência comum a muitas criaturas para o cultivo de ideias deprimentes, vulgares, agressivas, o pensamento constrói paisagens terrificantes pela sordidez, pela qualidade inferior, nas quais o indivíduo fica submerso, respirando o bafio pestilencial que organiza a paisagem infeliz.

Semelhantemente, a construção mental de formas sensuais, hediondas, vingadoras, adquire plasticidade e vida, tornando-se parte integrante da psicosfera do seu autor.

À medida que se concretizam, na razão direta em que são vitalizadas, essas construções passam a agir sobre o paciente, causando-lhe conflitos muito desgastantes.

Essas *imagens vivas* adquirem identidade e espontaneidade, agredindo e ultrajando aquele que as estimula e mantém.

Quando em parcial desprendimento pelo sono, torna-se vitimado pela *multidão* que o envolve, encarcerando-o em estreito círculo de viciações nas quais se compraz.

Alimentando-se dos *vibriões mentais* – aspirações perniciosas que o pensamento elege – parecem seres reais ameaçadores que exaurem a fonte na qual se originam.

Estimulados e direcionados por afinidades morais inferiores de Espíritos perversos, zombeteiros ou vulgares, transformam-se em processos obsessivos que assumem caráter de crescente gravidade.

Aqueles que se permitem fixações mentais viciosas, malfazejas, invejosas, sem que se deem conta, transformam-se nas primeiras vítimas da ocorrência nefasta, retendo-se nas faixas primitivas onde se homiziam as forças da perversidade e do primarismo.

São comuns esses fenômenos de auto-obsessão entre as criaturas humanas por cultivarem pensamentos negativos e insensatos que os aprisionam nas malhas fortes das próprias ondas mentais enfermiças.

Diante das injunções de tal natureza, como de outras, o valioso recurso da oração é terapia poderosa que desagrega essas energias mórbidas e propicia aragem mental salutar para novas e superiores formulações, que passarão a envolver o paciente, restaurando-lhe o equilíbrio. Especialmente antes do repouso pelo sono diário, a vigilância mental se torna de alta importância, a fim de que as propostas enobrecidas do pensamento induzam o espírito a viajar às regiões ditosas de onde retornará renovado, edificado e predisposto à conduta correta.

Na raiz de qualquer transtorno obsessivo sempre se encontra presente a inferioridade moral do paciente, cuja irradiação vibratória propicia o campo hábil para as conexões e fixações perturbadoras.

Desse modo, ao lado da oração é indispensável a renovação interior para melhor, conduzindo à ação caridosa, dignificadora, responsável pelo crescimento espiritual do ser.

Sem olvidar-se o estudo do Espiritismo, que é o mais completo tratado de psicoterapia que se encontra à disposição, aquele que deseja uma existência saudável deve iniciar o esforço pelo conseguir, pensando na forma correta, otimista, confiante, para viver em paz construindo a sociedade harmônica, parte integrante do anseio de todos os homens e mulheres de Bem.

Formas ideoplásticas

Na sutil tecelagem energética que se condensa e constitui o mundo visível, ondas, vibrações, campos mentais e estruturas psíquicas interpenetram-se, tomando formas, alterando contornos, surgindo e desaparecendo ininterruptamente.

O ser humano é, essencialmente, aquilo que cultiva na área mental, movimentando-se na faixa do pensamento que lhe caracteriza o clima existencial.

Exteriorizando ondas mentais contínuas, sincroniza com outras de teor vibratório equivalente, que passam a corporificar-se em organização delicada, sendo reabsorvidas e eliminadas conforme a intensidade da ideação.

Saúde e doença, equilíbrio, desarmonia emocional e mental são resultados inevitáveis da exteriorização de cada ser.

Nesse oceano de vibrações em que todos se encontram mergulhados, os indivíduos conduzem-se nas faixas de identificação própria, sintonizando com os semelhantes e deles haurindo idênticas exteriorizações.

Quanto mais se fixam os pensamentos nas preferências habituais, passam a condensar com os elementos da Natureza formas que se *materializam* e os acompanham, fornecendo-lhes alimento saudável ou tóxico, de acordo com o teor das energias que as constituem.

Além das sincronizações com outras mentes – encarnadas e desvestidas da matéria – que produzem obsessões, quando viciosas ou de baixo teor emocional, elaboram estranhas e perigosas formações que empestam a psicosfera dos pacientes afervorados às distonias de comportamento íntimo.

Plasma-se no universo tudo aquilo que vibra.

As preces e os sentimentos enobrecidos fomentam delicadas construções espirituais que emanam conteúdos de harmonia, bem-estar e elevação psíquica.

As recriminações, os vícios, as aspirações perturbadoras produzem aglutinações de partículas que se transformam em *vibriões* agressivos e vorazes, que se nutrem do *continuum* mental, encarcerando o seu agente, que se lhe torna paciente aprisionado nas malhas das próprias elucubrações doentias.

Larvas, formas pensamento agressivas, *vírus* desconhecidos fixam-se no campo áurico e passam a invadir o corpo perispiritual, perturbando-lhe a harmonia, que se manifestará como distúrbios mentais e orgânicos de difícil diagnose e mais desafiadora terapia.

Tornam-se expressões de *vida* pelo automatismo que decorre do prazer de sustentar as ideias perniciosas que se fazem vitais no psiquismo do indivíduo.

Lentamente, essas *vidas* ínfimas agridem os seus vitalizadores, que se desorganizam, experimentando males estranhos e degenerativos.

Em razão da sua psicogênese moral, o paciente é um autoagressor, responsável pelo distúrbio em que estertora.

Toda organização material é um somatório de partículas que, em última análise, procedem da energia primária da criação.

De igual maneira nascem os campos mentais que se encontram mantidos pelas lembranças conscientes ou não das experiências físicas passadas, ressumando como necessidades de continuação, de revivescência, dificultando novos raciocínios e diferentes reflexões daquelas que lhes são habituais.

Perseguidos por essas ideações plásticas, ao ocorrer a desencarnação desses pacientes morais, os mesmos continuarão sob a indução malévola das vis *construções* que mobilizaram e sustentaram...

No sentido oposto, as ideoplastias felizes que compõem as formas pensamento superiores propiciam o êxtase, emulam ao avanço, fortalecem o ânimo para o ininterrupto crescimento íntimo e o autotransformar-se, esteja o espírito no corpo físico ou liberado da sua injunção...

Não foi por outra razão que Jesus acentuou: *"O reino dos Céus está dentro de vós"* – e certamente o Hades também, desde que felicidade e desdita são opções elegidas por cada indivíduo.

Aprofundando a análise na psicogênese de inumeráveis obsessões especiais, defronta-se com aquelas que são produzidas pelo próprio enfermo, como efeito dos pensamentos cultivados, atraindo, a seguir, comparsas outros desencarnados que passam a manter o conúbio de nutrição vampirizadora e pertinaz.

O investimento terapêutico deverá ter, prioritariamente, o esforço para despertar o enfermo, a fim de que mude de conduta mental, libertando-se das viciações em que se compraz, a fim de renovar o pensamento, sincronizando o idealismo elevado nas faixas superiores da vida.

Concomitantemente, a bioenergética desempenha papel fundamental nesse processo, por diluir as *construções* perniciosas em torno da psicosfera de que se nutre, ao tempo em que, retemperando as ondas pensamento, faculte-se aspirar e nutrir-se de cargas vibratórias saudáveis.

Lentamente dar-se-á o reequilíbrio, para cujo mister a contribuição pessoal faz-se essencial.

Nas auto-obsessões, a constituição vibratória do pensamento desempenha relevante significado.

De equivalente modo, somente através da alteração da emissão de ondas mentais é que se lhe operará a recuperação.

Formas pensamento campeiam, desse modo, em todas as direções, movimentando-se e sintonizando com aqueles que possuem o mesmo teor vibratório e são diluídas por outras de poder anulador da carga negativa que conduzem.

Pensar é a arte de emitir ondas. Conforme o conteúdo mental, como efeito do comportamento moral, ou vice-versa, adquirem formas que se plasmam nas delicadas vibrações pulsantes do universo.

Sejam, portanto, quais forem as circunstâncias da existência, cabe ao viajante carnal manter o pensamento em alto nível de reflexões, cultivando as ideias otimistas e iluminativas, de modo a criar campos saudáveis dos quais se exteriorizarão as *construções* equilibradas da emoção e do organismo físico.

Toda vez quando as injunções tentarem imprimir na mente as ideias perversas, os transtornos de conduta, as fixações negativas em torno das ocorrências infelizes, os ressentimentos que se constituem presenças morbíficas no Espírito, é dever de todo indivíduo lúcido, especialmente daquele que se vinculou aos postulados espíritas, esclarecer-se a respeito dos deveres para com a vida, substituí-los pelas formulações agradáveis e harmoniosas da paz, cultivando a esperança e vivenciando o amor, sem deixar-se afetar pelo desespero ou pela mágoa.

Mesmo quando venha a tombar nos fatores inquietantes, de imediato, cabe-lhe refazer o campo mental, diluindo as impressões de desânimo e de dor nas dúlcidas vibrações da prece e do sentimento de compaixão por aqueles que se lhe transformaram em perseguidores, gratuitos ou não, mantendo-se em harmonia íntima.

Ninguém transita na Terra sem as experiências do sofrimento, que deflui das incompreensões de companheiros, de afetos ou de adversários, que todos os têm.

Cabe, porém, a cada qual, a eleição do campo mental em que deseja situar-se, passando a nutrir-se do sol da alegria ou vestir-se das sombras dos sentimentos doentios que tentam encontrar apoio na acústica da alma.

5
Conceito equivocado

Visão incorreta a respeito dos médiuns possuem aqueles que do Espiritismo conhecem apenas as informações e conceitos equivocados, sem estrutura de lógica nem contribuição racional.

Adotando ideias fantasiosas que primam pela ingenuidade da crença no sobrenatural, pensam que os médiuns são seres humanos especiais, portadores de dons e de poderes que os capacitariam a solucionar quaisquer problemas e dificuldades que lhes sejam apresentados.

Em face dessa óptica distorcida da realidade, envolvem os medianeiros em auréolas de santificação, concedendo-lhes atributos que estão distantes de os possuir.

Diante deles, sentem-se privilegiados, insuflando-lhes paixões dissolventes como o orgulho, a presunção e as veleidades morais, filhos torpes do egoísmo que dilacera muitas almas inadvertidas, logo as perturbando e enlouquecendo sob o seu guante.

Como efeito do mesmo desconhecimento, pensam que os sensitivos estão sempre cercados pelos numes tutelares e trazem, em razão disso, complexos enigmas a todo momento, e irresponsavelmente induzindo-os a elucidações de ocorrências que não podem ser realizadas.

Basta que os vejam, e esses *clientes* inadvertidos desfilam-lhes o rosário de queixas, de lamentações, descarregando contínuas dificuldades que não estão realmente interessados em solucionar.

Sempre conduzem enfermidades e pessimismo, que propõem ao companheiro mediúnico na expectativa dos milagres que não ocorrem.

Quase nunca lhes oferecem palavras amigas, que supõem eles não necessitarem, sobrecarregando-os com os seus fadários, maus humores e agressividade.

Creem que os servidores da mediunidade encontram-se no mundo para conduzirem os seus fardos.

Se os notam cansados, tristes ou sofridos, decepcionam-se, chocados, indagando onde estão os seus guias espirituais, que os não aliviam?

Percebendo-os irritados nos momentos infelizes, embora o seu incessante júbilo, apresentam-se ofendidos e desconsiderados, apesar de se permitirem a rudeza, a ingratidão e as exigências variadas.

A mediunidade não é uma graça divina, nem um processo adivinhatório, ou ainda recurso mirabolante para saciar a sede das novidades humanas... É uma conquista adquirida através da evolução para o intercâmbio espiritual, para a iluminação de consciências e crescimento espiritual.

Tesouro de valor inapreciável, quando bem direcionada; também representa cruz provacional, quando assinalada por sofrimentos e perturbações emocionais, assim como fisiopsíquicas.

A mediunidade é faculdade da alma que no corpo se reveste do arcabouço de células para facultar a captação das ondas e vibrações sutis além da esfera física.

Os médiuns, por isso mesmo, são pessoas comuns, portadoras de paranormalidade. O comportamento moral que se impõem elege-os à felicidade ou condu-los às angústias demoradas.

O conhecimento do Espiritismo aclara esse conceito incorreto a respeito dos médiuns, assim como de inumeráveis questões que podem ser esclarecidas e demitizadas, facultando mais amplo entendimento sobre a vida e o seu precioso significado.

Médiuns foram Francisco de Assis, Teresa d'Ávila, Joana d'Arc e muitos outros inspirados por Jesus e Seus Mensageiros, assim como também Judas, o atormentado; Átila, enlouquecido pela ferocidade que não controlava, e todos os terríveis sicários da humanidade...

Neutra, em si mesma, a faculdade mediúnica é instrumento para comunicar com os espíritos, que a moral da criatura humana direcionará conforme a evolução espiritual em que se encontre incursa.

Precatem-se os bons médiuns, aqueles que se fizeram espíritas, contra o culto ao personalismo, ao egoísmo e a todos os perigos que os cercam, tentando impedi-los de avançar e de crescer interiormente.

Elejam o trabalho de auxílio fraternal como mecanismo de equilíbrio e, estudando a Doutrina para bem compreender a tarefa que lhes cumpre desempenhar, não se olvidem da humildade verdadeira, prosseguindo no afã de autoiluminação.

E em qualquer circunstância, exaltados ou perseguidos, aplaudidos ou humilhados, não sabendo como agir, recorram ao Evangelho e perguntem-se que faria Jesus nas mesmas condições, seguindo-O e recordando-Lhe o triunfo sobre as fatuidades e a insensatez humanas, na Sua condição de Médium de Deus.

Mediante a sintonia

Em aditamento ao enunciado que assevera que os Espíritos interferem nas vidas humanas, afirmamos que esse intercâmbio é resultado da ressonância que se exterioriza dos fulcros pensantes do ser na transitoriedade carnal.

Interagem as vibrações que são exteriorizadas pelos homens e pelos Espíritos, retornando como *partículas de psicotrons* dirigindo-se ao epicentro gerador de energias. Esse retorno caracteriza-se pela intensidade do campo vibratório atravessado pela onda de que se faz veículo, facultando o processo de intercâmbio na faixa em que se situa, identificando-se com outras mentes desencarnadas que se movimentam na esfera extrafísica.

Como decorrência, a obsessão sutil é um instrumento hábil de que se utilizam as mentes forjadoras de objetivos negativos e que planejam entorpecer os ideais de sublimação e impedir a marcha do progresso.

Naturalmente, os indivíduos menos esclarecidos reagem dizendo que tal interferência anularia o livre-arbítrio dos homens, que se converteriam, sem o desejar, em marionetes sob controle dos desencarnados.

O argumento não procede, por motivos muito claros. Somente há intercâmbio quando os envolvidos estabelecem a mesma identificação de conteúdo vibratório, no caso, de ordem moral.

A ressonância é o retorno de uma onda que, ao ser enviada, volve ao ponto de procedência e encontra a mesma qualidade vibratória com a qual se identifica.

Façamos uma digressão: na fase primária do ser, o mesmo emite ondas e impulsos primitivos. Pela dificuldade do discernimento entre o Bem e o Mal, a predominância dos fatores ancestrais conduz, etapa a etapa, o pensamento que se vai desenovelando, qual uma semente que se entumece no solo, para lentamente romper o claustro, distender raízes para baixo, a fim de fixar-se no solo, nutrir-se, enquanto a plântula se ergue com o objetivo de romper a terra que lhe parece impedir o desenvolvimento.

Atendendo aos impulsos latentes, ao heliotropismo e aos recursos mesológicos, a semente germina, mas não pode fugir aos fatores que a constituem.

O Espírito, na sua marcha de evolução, tem mais instintos do que razão. À medida que pretende ascender, não raro permanece fixado nesses instintos em predominância em a sua natureza ancestral.

Nas fases mais adiantadas do pensamento, diminuem, sem qualquer dúvida, as fixações anteriores e ampliam-se-lhe as possibilidades de crescimento graças ao Deotropismo.

Se, no entanto, os atavismos permanecem subjugando-o, mesmo que a mente lúcida se desenvolva na área do intelecto, a emoção que decorre do hedonismo e do primitivismo faculta-lhe a sintonia com os Espíritos perturbadores do seu mesmo nível moral, e as obsessões campeiam sem que haja violência ao livre-arbítrio, porque embora a mente aspire ao ideal, o sentimento permanece submetido às paixões inferiores.

Nessa digressão, observamos que o livre-arbítrio nunca é violentado quando preponderam os vínculos da delicada ou da violenta perturbação espiritual.

Graças à sintonia, nos processos das decisões humanas e em face do exposto, cada pessoa sintoniza com a faixa de luz, de sombra ou de inquietação em que se compraz, experimentando a resposta imediata daquela zona onde o apelo mental chegou ou o emocional se detém, estabelecendo a vinculação do *plugue* com a *tomada* perispiritual. Enfermidades, desaires, paixões, boa ou má sorte no esquema cármico têm estruturas de intercâmbio espiritual de acordo com o padrão de excelência ou de negativa qualidade.

Quantas decisões funestas, depressivas, negativas, estão sob o comando de natureza externa àquele que as assume, assim como tantas outras saudáveis, positivas, otimistas, igualmente sob a direção das mentes promotoras do progresso!...

A terapia curadora, por sua vez, é o romper da onda mental perniciosa, para sair da tutela nefasta da mente exploradora que se locupleta em anatematizar ou afligir, conspirando contra a paz de quem lhe tomba nas malhas bem urdidas do intercâmbio espiritual negativo, mesmo que inconsciente.

Não seja de surpreender que muitas decisões no campo do Bem estejam sob vigilância de inimigos soezes que, em se utilizando da debilidade humana, atraem para o seu grupo de dependentes aqueles que temem, que desconfiam, que se permitem melindres ou que buscam repouso imerecido antes do momento próprio.

Sem qualquer excesso na área da observação dos fenômenos obsessivos, podemos afirmar que, na raiz de qualquer distúrbio social, emocional, psíquico, orgânico, intelectivo há, invariavelmente, uma vinculação espiritual negativa...

O mesmo ocorre nas conquistas do progresso, da paz, da bem-aventurança, do júbilo e da entrega a Deus, mediante inspiração superior que desce das esferas resplandecentes para erguer quem busca o ser profundo que é, autoiluminando-se e recarregando-se de energias superiores.

Jesus foi peremptório: "*Eu sou o caminho*".

Somente nos vinculando ao Seu psiquismo alcançaremos a verdade e teremos vida.

6
Perante a mediunidade

A predisposição mediúnica é atributo do espírito que o corpo expressa através das células que o constituem, a fim de propiciar o intercâmbio entre os seres que estagiam em áreas de vibrações diferentes, especialmente os desencarnados, facultando as comunicações entre os dois planos da vida.

À semelhança da inteligência, que tem suas raízes no ser imortal e se expressa através dos neurônios cerebrais, apresenta-se a mediunidade sob um elenco amplo de características e tipos apropriados.

Ostensiva em alguns indivíduos, prescinde das qualidades morais do seu portador, tornando o fenômeno cristalino, espontâneo, que irrompe, não raro, de maneira violenta, até que a educação necessária discipline o seu fluxo e exteriorização.

Inerente a todos os seres humanos, pode surgir tênue e sutil, ampliando-se, à medida que o exercício bem direcionado consegue desenvolver-lhe a área psíquica de captação das mensagens.

Seja, porém, sob qual aspecto se manifeste, objetiva a comprovação da imortalidade do espírito e oferece o contributo valioso de desvendar a vida além do túmulo, propiciando a compreensão da realidade da esfera causal, assim como as implicações do comportamento moral do indivíduo em relação a si mesmo, ao próximo e à vida.

A mediunidade, no passado, predominava na intimidade dos santuários, oferecendo preciosos parâmetros para que os seres humanos se conduzissem com equilíbrio, e, lentamente, se identificassem com as esferas soberanas e de triunfo da sobrevivência espiritual.

À medida, porém, que os tempos evoluíram, libertou-se da indumentária dos rituais, das fórmulas, dos cerimoniais e das superstições que a envolviam, passando pelo profetismo, pelas revelações, ocupando o lugar que lhe corresponde, como faculdade extrassensorial, abrindo espaço para o ser transpessoal, paranormal que é...

Não obstante todas as conqusitas do pensamento científico e filosófico com que a Doutrina Espírita a vem desvelando, permanece teimosamente ignorada por grande número de pessoas, quando não confundida com alucinações psicológicas, no conceito de determinadas escolas do preconceito acadêmico, ou fenômeno sobrenatural capaz de realizar milagres, tornando-a mítica pela visão distorcida de alguns fanáticos.

A mediunidade prossegue, desse modo, desafiando os interessados e estudiosos do ser humano, a fim de ocupar o lugar que merece e lhe está reservado no contexto das conquistas das doutrinas paranormais da atualidade.

Neutra, sob o ponto de vista ético, pode apresentar-se exuberante em indivíduos destituídos de caráter saudável e de sentimentos elevados, tanto quanto sutil e quase despercebida em pessoas ricas de valores ético morais e qualidades superiores de conduta.

Apresentando-se fecunda, não significa, necessariamente, que o seu portador seja um espírito nobre ou missionário com sacerdócio relevante programado. De igual maneira, ao externar-se sutilmente, não implica ser destituída de objetivo ou significado dignificante.

Em ambos os casos pode ser tida como instrumento hábil de serviço, facultando o crescimento interior do medianeiro, que a deve dignificar mediante exemplos salutares de elevação de princípios, tanto quanto de conduta assinalada pelo amor, pela solidariedade, pela dedicação à vivência dos postulados do Bem.

O exercício sistemático das energias psíquicas, o hábito edificante da oração e da meditação, o equilíbrio mental sustentado pelos bons pensamentos constituem os *equipamentos* valiosos para que alcance a superior finalidade para a qual é concedida ao ser humano que a incorporará ao seu cotidiano como recurso luz para a felicidade.

Nabucodonosor, rei da Babilônia, perverso e venal, apresentava mediunidade atormentada, que o tornava obsidiado periodicamente.

Tirésias, na Grécia, era instrumento de seres espirituais elevados, vivendo com equidade e justiça.

Os profetas hebreus, na austeridade da conduta que se impunham, sintonizavam com o Mundo Maior, de onde recebiam inspiração e diretrizes para a sua e as épocas porvindouras.

Jesus, o excelente Médium de Deus, tornou-se o exemplo máximo de como se deve conduzir todo aquele que se faz ponte entre as esferas física e espiritual.

Médiuns, todos o somos em ambos os planos da vida, cabendo a cada um adaptar-se à faculdade e aprimorá-la, para servir com dignidade, construindo a sociedade que realize a perfeita identificação com o mundo causal, embora se encontre mergulhado no escafandro carnal.

Inspiração mediúnica

A criatura humana é um ser interdimensional. A tendência materialista de torná-la um bloco compacto de massa em diferentes estados de condensação já não encontra guarida nos estudos atuais mais avançados.

Observando-se a penetrabilidade do seu psiquismo nas mais diversas estruturas, desde o aço aos materiais sintéticos, vencendo as distâncias para detectar imagens e sons, transmitindo ideias e dominando variados objetos e seres humanos, constata-se-lhe a independência ao cérebro pelo qual se manifesta, assim como condensando ou desmaterializando os agregados corpusculares.

Dessa forma, os experimentadores sinceros e percucientes confirmam as informações espiritualistas a respeito da imortalidade da alma e da sua comunicabilidade.

Isto posto, a mediunidade adquire cidadania e passa a merecer acuradas observações, cujos resultados positivos poderão contribuir grandemente para o bem-estar das pessoas através do seu correto comportamento moral.

A inspiração mediúnica, em face dessa capacidade de registro psíquico pelos indivíduos reencarnados, sempre se fez responsável pelos acontecimentos de grande porte ou aqueloutros do cotidiano de todas as criaturas.

Desde a consagradora inspiração de que Moisés foi objeto no monte Sinai, ao receber o *Decálogo,* até as magníficas manifestações espirituais a que se referem todas as obras antigas, seja das religiões ou da Filosofia, o fato mediúnico é uma constante.

Na raiz de quase todos os acontecimentos históricos encontramos a inspiração das mentes desencarnadas interferindo nos comportamentos humanos de maneira eficiente e vigorosa.

Jesus transitou no mundo em constante sintonia com Deus e sob Sua divina inspiração, fazendo-Lhe a vontade.

Saulo foi conduzido por Ele desde o encontro às portas de Damasco, tornando-se médium seguro e ideal para dar prosseguimento ao Seu ministério e instalar na Terra os alicerces do reino de Deus.

Os cristãos primitivos comungavam com os seus *mortos* em regime de assiduidade.

Constantino teve a visão de Cristo e teria dEle recebido instruções. Submetendo-se-Lhe às diretrizes durante a batalha nas Rochas Vermelhas, perto da ponte Mílvius, saiu vitorioso contra Maxêncio...

Luzia, a jovem que resistiu a Diocleciano, fez-se instrumento dos Espíritos até ser decapitada com estoicismo.

Atravessaram a História homens e mulheres incontáveis, todos portadores de sensibilidade mediúnica, inspirados e humildes lograram realizar grandiosos labores com os quais promoveram a cultura, a arte, a ciência, a civilização...

Mais recentemente, Einstein teve a *visão* da origem do Universo e elaborou a fórmula que sintetiza todo o conhecimento em torno da energia e da matéria, do tempo e do espaço...

A visão quântica do mundo, ao invés de ratificar o materialismo ancestral, ofereceu respostas seguras para o espiritualismo em geral e para o Espiritismo em particular.

Nesse infinito campo de energias em diferentes estados de manifestação vibratória, a realidade maior é o espírito imortal, agente do corpo e por ele responsável.

Advindo-lhe a desintegração das moléculas pelo fenômeno da morte ou transformação biológica, o espírito prossegue, independente, em sintonia com os campos vibratórios nos quais se movimentou.

A interferência psíquica ocorre naturalmente em processo de afinidade, permitindo que o desencarnado transmita aos seres terrestres, nos seus corpos, as ideias, os impulsos, a inspiração.

Como a grande maioria desencarna em lamentável estado de fixação dos prazeres ou das mágoas, dos interesses mesquinhos ou das paixões inferiores, pululam no mundo espiritual os aflitos, os perturbadores, os invejosos, os infelizes...

Porque se movimentam e atuam nas faixas vibratórias mais grosseiras, nas quais os indivíduos invigilantes permanecem psiquicamente, a inspiração mediúnica faz-se abundante, por automatismo ou de forma consciente, gerando tumultos, conflitos e caos...

Certamente, quando se elevam os padrões mentais e morais no comportamento terrestre, fenômeno correspondente dá-se facultando a inspiração superior e dignificadora, procedente daqueles outros enobrecidos, cujas existências terrenas foram verdadeiros evangelhos de feitos de amor e de abnegação.

Estes, no entanto, são dias de transição e de aturdimento, resultando em inspirações mediúnicas portadoras de conteúdos afligentes, por efeito do estágio moral inferior em que se detêm o planeta e os seus habitantes, exigindo que logo ocorra uma reação mental e moral das criaturas, que passarão a hospedar-se em círculos vibratórios mais dignos, portanto propiciadores de identificação enobrecida com os Guias e Mentores vinculados ao Divino Pensamento.

Ninguém permanece indene à inspiração das mentes com as quais se afina, consciente ou inconscientemente.

Não obstante a liberdade de pensar e o livre-arbítrio para decidir, faculdade de que todos dispõem, é inevitável que o cultivo das ideias coloque-os em faixa vibratória correspondente, na qual outras mentes se fixam, dando origem ao intercâmbio, portanto, à inspiração mediúnica.

Cabe, desse modo, a cada um, como decorrência da sua sintonia mental, alterar o campo no qual situa as suas aspirações, porquanto *"onde ponha os seus tesouros aí estará também o seu coração"*, conforme o ensinamento evangélico.

A inspiração mediúnica é inevitável, estabelecendo a necessidade de cada indivíduo, ser interdimensional que é, ascender às faixas superiores da vida e aí haurir a força e o comando para agir e prosseguir com acerto e em paz.

7
Educação da mediunidade

Sendo a faculdade mediúnica inerente a uma disposição orgânica, semelhante às outras responsáveis pelas manifestações sensoriais, deverá ser educada com cuidados especiais, a fim de bem desempenhar a função para a qual a Divindade dotou os seres humanos.

Concedida a todos os seres humanos, sem privilégio de etnia, de caráter, de fé religiosa, de condição socioeconômica, representa uma alta concessão, que faculta o conhecimento da imortalidade do espírito, assim como das consequências morais resultantes da conduta existencial.

De igual maneira como se educam os sentidos físicos e as faculdades intelectuais, disciplinando o comportamento moral, a mediunidade, que desempenha relevante papel na vida humana, requer desvelos e condutas específicos, para que possa contribuir eficazmente em favor da harmonia do indivíduo e do seu incessante progresso espiritual.

Demitizada pelo Espiritismo, que esclareceu os falsos atributos divinatórios e especiais com que a vestiam, torna-se instrumento precioso para o bem-estar, a saúde e a paz, na condição de recurso próprio para a autoiluminação e a libertação do primarismo ainda persistente naquele que a possui.

Causa estranheza, não poucas vezes, encontrar-se a mediunidade ostensiva em pessoas de conduta reprochável, enquanto outras, dignas e corretas, dela não se fazem possuidoras com a mesma intensidade.

Essa visão proporciona aos incautos o conceito de que a mediunidade independe da moral do indivíduo, o que é certo, enquanto que a qualidade das comunicações não se subordina ao mesmo raciocínio.

Isto porque os espíritos comunicam-se por meio de quaisquer instrumentos, valendo ser lembrado que as primeiras comunicações que precederam ao surgimento do Espiritismo deram-se através de recursos muito primários, com o objetivo de chamar a atenção, logo passando àqueles de natureza transcendental e elevada.

Na ocasião, fazia-se necessário assim apresentar-se o fenômeno, considerando-se que, noutras épocas, em face da naturalidade com que ocorriam e da sua multiplicidade, foram mal interpretados.

Mediante esse recurso algo primitivo, foi necessário o estudo sério e a busca da causalidade do fenômeno, quando os próprios espíritos encarregaram-se de definir-se e elucidar com sabedoria a ocorrência.

Os indivíduos maus, orgulhosos e corrompidos apresentam-se, portanto, com faculdades ostensivas por misericórdia do amor, a fim de que sejam, eles mesmos, os instrumentos das advertências e orientações de que necessitam para uma existência de retidão e de equilíbrio, com alto discernimento a respeito dos objetivos da caminhada terrestre.

Permanecendo nos vícios a que se entregam, voluntariamente, tornam-se mais responsáveis pelos atos danosos que os prejudicam, padecendo-lhes as consequências lamentáveis.

Advertidos sobre a transitoriedade do carro material de que se utilizam, não terão como justificar-se ante a própria consciência pela leviandade que se permitiram, assumindo as graves responsabilidades morais em relação ao futuro.

Somente através do conhecimento lúcido e lógico da mediunidade, mediante o estudo de *O Livro dos Médiuns*, de Allan Kardec, é que se deve permitir o candidato à educação da sua faculdade, ao aprimoramento pessoal, iniciando, então, o exercício dessa *disposição orgânica* profundamente arraigada nos valores morais do Espírito.

Uma das primeiras providências a ser tomada em relação a esse programa iluminativo diz respeito à autoanálise que se deve propor o interessado, trabalhando as imperfeições do caráter, os conflitos comportamentais, lutando pela transformação moral para melhor no seu mundo interior.

Esse esforço, no entanto, não se aplica a um certo período da vida, mas a toda a existência, porquanto, à medida que se avança no rumo da ascensão, melhor visão interna se possui a respeito de si mesmo.

Quanto mais esclarecida a pessoa se encontra, mais facilmente observa as imperfeições que possui, dando-se conta de que necessita ampliar o esforço, a fim de as superar.

O contato com os Espíritos em equilibrada frequência faculta a percepção da *lei dos fluidos*, mediante a qual torna-se factível a identificação dos comunicantes, em decorrência das sensações e das emoções experimentadas.

Cada comunicante é portador de vibrações especiais, assim como ocorre na Terra, caracterizando-se cada qual por determinados hábitos e mesmo pelos seus condicionamentos.

A observação do conteúdo das mensagens também é de salutar efeito, analisando-o e aplicando-o em si mesmo, quando expresse orientação e direcionamento propiciadores de felicidade.

Os médiuns sérios devem sempre aceitar para eles próprios, em primeiro lugar, as mensagens de que se fazem instrumento, assim aprimorando-se e crescendo na direção do Bem.

À medida que se tornam maleáveis às comunicações, essas mais expressivas se fazem, proporcionando melhor qualidade de filtragem do pensamento que lhes é transmitido.

Colocada a serviço do Bem, a disciplina e a ordem são fundamentais para o seu mais amplo campo de realizações, porquanto a mediunidade não pode constituir-se estorvo à vida normal do cidadão, nem instrumento de interesses escusos sob a falsa justificativa da aplicação do tempo que lhe é dedicado.

O aprofundamento das reflexões, alcançando o patamar da concentração tranquila, faculta a ideal sintonia com os espíritos que se comunicarão, diminuindo a interferência das fixações mentais, dos conflitos perturbadores, melhor exteriorizando o pensamento e os sentimentos dos comunicantes.

A tranquilidade emocional, defluente da consciência de que se é instrumento e não autor das informações, é fundamental, tornando-se simples e natural, sem as extravagantes posturas de que são seres especiais que se atribuem ou emissários irretocáveis da verdade, merecedores de tratamento superior durante o seu trânsito pelo mundo físico...

João, o *batista*, proclamou, em referência a Jesus: "*É necessário que Ele cresça e que eu diminua*".

O exemplo deve ser aplicado aos médiuns que desejam alcançar as metas ideais do seu exercício, considerando-se apenas como instrumentos que diminuem de importância enquanto a mensagem cresce e expande-se.

A busca atormentada da notoriedade, da fama, do exibicionismo, constitui terrível chaga moral, que o médium deve cicatrizar mediante a terapia da humildade e do trabalho anônimo.

Desse modo, a arrogância, a presunção, a vaidade que exaltam o ego diminuem a qualidade dos ditados mediúnicos de que se faz portador aquele que assim se mantém.

Prosseguir com naturalidade a experiência reencarnatória, sendo agradável e gentil, vivendo com afabilidade e doçura, de modo a se tornar seguro intermediário dos Espíritos nobres e bons, que preferem eleger aqueles que se lhes assemelham ou que se esforçam por melhorar-se cada vez mais, é dever impostergável.

O bom médium, desse modo, conforme esclareceu Allan Kardec, "*não é aquele que comunica facilmente, mas aquele que é simpático aos bons Espíritos e somente deles tem assistência*". (*O Evangelho Segundo o Espiritismo*, Cap. XXIV, Item 12.)

Combater o ego e os seus parceiros, para dar sentido aos valores espirituais, é, sem dúvida, conduta salutar, no processo da educação mediúnica e por toda a existência.

No sentido oposto, quando a faculdade mediúnica não recebe a consideração nem os cuidados que lhe são devidos, não desaparece, antes permanece à mercê dos Espíritos frívolos, irresponsáveis ou perversos que se comprazem, utilizando-a para fins ignóbeis com os quais o intermediário anui, culminando em transtornos emocionais graves, enfermidades simulacros que proporcionam assimilação de agentes orgânicos destrutivos ou de obsessões de longo curso...

De bom alvitre, portanto, será que todos os indivíduos portadores de mediunidade ostensiva ou natural esmerem-se e penetrem-se de responsabilidade, adquirindo afinidade com os Mensageiros da Luz, na grande obra de regeneração da sociedade e do Planeta a que eles se vêm entregando com abnegação e devotamento.

8
Qualidade no exercício mediúnico

A condição essencial para ser alcançado o nível de *bom médium*, isto é, daquele que tem facilidade para as comunicações, conforme considerava o emérito Codificador do Espiritismo, Allan Kardec, é resultado do esforço empreendido para a sua transformação moral para melhor.

Enquanto vicejem nos sentimentos do candidato à realização da atividade mediúnica enobrecida os sentimentos de hostilidade, de melindre, de suspeitas, de ciúme e todo o séquito nefasto do ódio, do ressentimento, da vingança, a sintonia psíquica defluirá dessas ondas que se expressam como irradiação mental negativa, atraindo forças perturbadoras semelhantes, que passarão a dominar-lhe a conduta física e emocional, levando-o a compreensíveis transtornos psicológicos e a enfermidades desnecessárias.

Inegavelmente, cada indivíduo respira no campo das próprias exteriorizações mentais e morais, eliminando e reabsorvendo as energias que lhe tipificam o nível de evolução espiritual.

Envolto nas teias dos pensamentos servis, ser-lhe-á difícil estabelecer largas faixas vibratórias elevadas e sutis, que proporcionem a captação das ideias e dos sentimentos procedentes da erraticidade superior, onde se movimentam os Guias da Humanidade, encarregados do progresso e da felicidade das criaturas humanas. Pelo contrário, mergulhará nas camadas grosseiras defluentes das ondas comportamentais emitidas pelos espíritos doentes e desorientados, entre os quais aqueles que se comprazem nas ações inquietantes e perversas de que padecem todos quantos se lhes associam pela identidade vibratória.

O exercício mediúnico, por outro lado, não pode ficar adstrito aos breves espaços em que se realizam as reuniões semanais especializadas, porque, sendo orgânica a faculdade, se é médium em todos os dias e em todos os momentos, durante o período em que permaneçam os recursos dessa natureza.

Desse modo, torna-se imprescindível a manutenção das forças específicas, mediante a educação emocional, através dos propósitos acalentados, no esforço que lhe cabe empreender para a superação das más tendências, passando a merecer a proteção e a assistência dos Mentores da Vida Maior, que contribuirão com segurança em favor de sua mais ampla maleabilidade psíquica, facultando-lhe o intercâmbio valioso.

Os equipamentos que constituem a faculdade mediúnica são muito delicados, portadores de *conexões eletrônicas,* decorrentes de emissões eletroquímicas de algumas glândulas endócrinas, que se expressam através dos neurônios cerebrais, merecendo cuidados especiais, a fim de que as altas cargas tóxicas e nervosas não as desestruturem, ao impacto da violência das emoções e da rebeldia dos sentimentos aturdidos.

De igual maneira, a transformação das sensações grosseiras em emoções elevadas constitui valioso recurso para a permanência da sincronização dos equipamentos que facultam a captação e a transmissão das comunicações espirituais.

Por isso, a disciplina mental favorecendo o controle das ideias e imagens elaboradas, a permuta de identificação espiritual, ampliam as possibilidades de mais segura vinculação com as Fontes Superiores da Imortalidade.

Lentamente, em face da conduta equilibrada, sem os altibaixos da leviandade, assim como das interferências inferiores promovidas pelos Espíritos insensatos e perseguidores, torna-se mais fácil ao médium a conquista da afeição dos seus Guias, que passam a estabelecer programações valiosas, sabendo, desde logo, que podem contar com a cooperação desse *instrumento* dedicado sempre que se torne necessária.

Em se tratando de pessoa dócil ao seu comando e disposta a servir sem reclamação nem azedume, transforma-se em membro da família do Bem, graças à sua dedicação ao trabalho de iluminação de consciências e de libertação da ignorância, sempre disposto a oferecer o seu contributo espontâneo, assim que seja requisitado.

No sentido oposto, enquanto permanece a conduta ondulante e instável, faz-se mais credor de compaixão e necessidade, não dispondo dos requisitos, mínimos que sejam, para os compromissos sérios e constantes na área da dignificação moral. Não havendo conseguido refrear os impulsos ancestrais que ainda lhe dominam a vontade e o interesse, não possui condições próprias para o desempenho das tarefas que exigem abnegação e devotamento, renúncia e luta.

Quando a responsabilidade não lhe caracteriza o comportamento, optando pela insensatez, a faculdade mediúnica transforma-se em campo de perturbação de vária expressão, culminando pela morbidez da obsessão sutil, a princípio, para depois agravar-se, tornando-se subjugação dolorosa.

Todo cuidado deve ser tomado pelo *médium sério*, que deseja manter-se em equilíbrio a serviço da vida, evitando sevícias morais produzidas pelos espíritos inferiores que buscarão atormentá-lo, disparando-lhe contínuos e bem direcionados dardos mentais capazes de lhe prejudicarem a saúde física, o comportamento, a emoção e a mente.

Nesse sentido, a vigilância, a oração e o cultivo dos bons pensamentos constituem-lhe recursos valiosos que não podem ser desconsiderados, ao lado do trabalho perseverante dedicado à edificação em favor do seu próximo, num como no outro plano da vida.

O *bom médium* adiciona aos compromissos de cidadão útil a consciência da paranormalidade que lhe cabe desenvolver a benefício próprio, de começo, e, por fim, de natureza geral.

O exercício da mediunidade deve produzir indizível bem-estar, por proporcionar a sintonia com as elevadas esferas espirituais, nas quais o medianeiro haure conforto, inspiração e inefável alegria de viver, em decorrência dos conteúdos psíquicos e emocionais que frui.

Saber-se instrumento útil, conduzido por sábios obreiros da Luz e da Verdade, com tarefas específicas, transforma-se-lhe em formosa razão para mais e melhor servir.

A convivência frequente com esses nobres mentores, que o inundam de ideias felizes e de energias saudáveis, proporciona-lhe emoções inabituais, caracterizadas pela euforia, que se desdobra em sentimentos de amor e de compaixão, de lídima fraternidade e de ternura, de perdão e de caridade.

Vivenciando, no dia a dia, essas emoções, durante os parciais desdobramentos pelo sono fisiológico, participa da vida espírita, operando ao lado dos seus benfeitores, movimentando-se no Grande Lar e prosseguindo na aprendizagem, bem como fixando preciosos conhecimentos que o enriquecem e capacitam para mais feliz desempenho na caminhada terrestre.

Médium, a todo momento, a sua torna-se uma existência produtiva, iluminada, estésica, podendo enfrentar os desafios e os sofrimentos que lhe cabe vivenciar com real satisfação.

A dor não o esmorece, a calúnia e as perseguições não o molestam, as enfermidades não o amofinam, as ingratidões não o aturdem, o abandono não o isola, afastando-o dos seus compromissos humanos, sociais, profissionais e espirituais...

Compreende as ocorrências dolorosas como necessárias ao seu aprimoramento moral, mais afadigando-se na entrega ao ministério abraçado, confiando integralmente em Deus e submetendo-se-Lhe aos desígnios sublimes.

O *bom médium*, desse modo, qualifica-se para alcançar os estágios superiores que o conduzirão ao apostolado da mediunidade, ao *mediumato.*[1]

Tropeços, instabilidade, desgostos, sofrimentos não são dos médiuns exclusivamente. Todas essas e outras ocorrências fazem parte do processo de evolução dos Espíritos comprometidos com as Soberanas Leis.

Graças, porém, à mediunidade, mais fácil torna-se--lhe a aceitação das provas expurgadoras, por facultar--lhe resgatar o mal que praticou anteriormente, através do bem que ora se encontra realizando.

Ao lado desse benefício, o carinho, a gratidão e o afeto dos Espíritos que o utilizam, intercedem em seu favor e cercam-no de bênçãos, de tal modo que, em vez de crer-se ao abandono, menos feliz, constata que avança a largos passos para a conquista da plenitude sob o comando de Jesus, o excelente Médium de Deus.

---

1. Vide Nota de rodapé à pag. 12. (Nota da Ed.)

9
Responsabilidade mediúnica

Uma reunião mediúnica séria, à luz do Espiritismo, é constituída por um conjunto operacional de alta qualidade, em face dos objetivos superiores que se deseja alcançar.

Tratando-se de um empreendimento que se desenvolve no campo da energia, requisitos graves são exigidos, de forma que sejam conseguidas as realizações, passo a passo, até a etapa final.

Não se trata de uma atividade com características meramente transcendentais, mas de um labor que se fundamenta na ação da caridade, tendo-se em vista os Espíritos aos quais é direcionado.

Formada por um grupamento de pessoas responsáveis e conscientes do que deverão realizar, receberam preparação anterior, de modo a corresponderem aos misteres a que todos são convocados para exercer, no santificado lugar em que se programa a sua execução.

Deve compor-se de conhecedores da Doutrina Espírita e que exerçam a prática da caridade sob qualquer aspecto possível, de maneira a conduzirem créditos morais perante os Soberanos Códigos da Vida, assim atraindo as entidades respeitáveis e preocupadas com o bem da humanidade.

Resultado de dois aglomerados de servidores lúcidos – desencarnados e reencarnados – tem como responsabilidade primordial manter a harmonia de propósitos e de princípios, a fim de que os labores que são programados sejam executados em perfeito equilíbrio.

Para ser alcançada essa sincronia, ambos os segmentos comprometem-se a atender os compromissos específicos que devem ser executados.

Aos Espíritos orientadores compete a organização do trabalho, desenhando as responsabilidades para os cooperadores reencarnados, ao tempo em que se encarregam de produzir a defesa do recinto, a seleção daqueles que se deverão comunicar, providenciando mecanismos de socorro para antes e depois dos atendimentos.

Confiando na equipe humana que assumiu a responsabilidade para participação no serviço de graves consequências, movimentam-se, desde as vésperas, estabelecendo os primeiros contactos psíquicos com aqueles que se comunicarão com os médiuns que lhes servirão de instrumento, desenvolvendo afinidades vibratórias compatíveis com o grau de necessidade de que se encontram possuídos.

Encarregam-se de orientar aqueles que se comunicarão, auxiliando-os na sintonia da aparelhagem mediúnica, a fim de evitar-lhes choques e danos, tanto no que diz respeito às comunicações psicofônicas atormentadas quanto às psicográficas de conforto moral e de orientação.

Cuidam de vigiar os comunicantes, poupando os componentes da reunião de agressões e de distúrbios defluentes da agitação dos enfermos mentais e morais, bem como das distonias emocionais dos perversos que também são conduzidos ao atendimento.

Encarregam-se de orientar o critério das comunicações, estabelecendo de maneira prudente a sua ordem, para evitar tumulto durante o ministério de atendimento, assim como impedindo que o tempo seja malbaratado por inconsequência do padecente desencarnado.

Nunca improvisam, porquanto todos os detalhes do labor são devidamente examinados antes, e quando algo ocorre que não estava previsto, existem alternativas providenciais que impedem o desequilíbrio no grupo.

Equipamentos especializados são distribuídos no recinto para utilização oportuna, enquanto preservam o pensamento elevado ao Altíssimo...

Concomitantemente, cabe aos membros reencarnados as responsabilidades e ações bem definidas, para que o conjunto se movimente em harmonia e as comunicações fluam com facilidade e equilíbrio.

Todo o conjunto é resultado de interdependência de um como do outro segmento, formando um todo harmônico.

Aos médiuns é imprescindível a serenidade interior, a fim de poderem captar os conteúdos das comunicações e as emoções dos convidados espirituais ao tratamento de que necessitam.

A mente equilibrada, as emoções sob controle, o silêncio íntimo facultam o perfeito registro das mensagens de que são portadores, contribuindo eficazmente para a catarse das aflições dos seus agentes.

O médium sabe que a faculdade é *orgânica,* mantendo-se em clima de paz sempre que possível, não apenas nos dias e nas horas reservados para as tarefas especiais de natureza socorrista, porquanto espíritos ociosos, vingadores, insensatos, que envolvem o Planeta, encontram-se de plantão para gerar dificuldades e estabelecer conflitos entre as criaturas invigilantes.

Por outro lado, o exercício da caridade no comportamento normal, o estudo contínuo da Doutrina e a serenidade moral são-lhe de grande valia, porque atraem os espíritos nobres que anelam por criar uma nova mentalidade entre as criaturas terrestres, superando as perturbações ora vigentes no Planeta.

Não é, porém, responsável somente o medianeiro, embora grande parte dos resultados dependa da sua atuação dignificadora, o que lhe constituirá sempre motivo de bem-estar e de felicidade, por descobrir-se como instrumento do amor a serviço de Jesus entre os seus irmãos.

Aos psicoterapeutas dos desencarnados é impositivo fundamental o equilíbrio pessoal, a fim de que as suas palavras não sejam vãs e estejam cimentadas pelo exemplo de retidão e de trabalho a que se afervoram.

O seu verbo será mantido em clima coloquial e sereno, dialogando com ternura e compaixão, sem o verbalismo inútil ou a presunção salvacionista, como se fosse portador de uma elevação irretocável.

Os sentimentos de amor e de misericórdia igualmente devem ser acompanhados pelos compromissos de disciplina, evitando diálogos demorados e insensatos feitos de debates inconsequentes, tendo em vista que a oportunidade é de socorro e não de exibicionismo intelectual.

O objetivo da psicoterapia pela palavra e pelas emanações mentais e emocionais de bondade não é o de convencer o comunicante, mas o de despertá-lo para o estado em que se encontra, predispondo-o à renovação e ao equilíbrio, nele se iniciando o despertamento para a vida espiritual.

Conduzir-se com disciplina moral, no dia a dia da existência, é um item exigível a todos os membros da grei, a fim de que a amizade, o respeito e o apoio dos Benfeitores auxiliem-nos na conquista de si mesmos.

Numa reunião mediúnica séria não há lugar para dissimulações, ressentimentos, antipatias, censuras, porque todos os elementos que a constituem têm caráter vibratório, dando lugar a sintonias compatíveis com a carga emocional de cada onda mental emitida.

Desse modo, não há por que alguém preocupar-se em enganar o outro, porquanto, se o fizer, a problemática somente a ele próprio perturbará.

À equipe de apoio se reservam as responsabilidades da concentração, da oração, da simpatia aos comunicantes, acompanhando os diálogos com interesse e vibrando em favor do enfermo espiritual, a fim de que possa assimilar os conteúdos saudáveis que lhe são oferecidos.

Nunca permitir-se adormecer durante a reunião, sob qualquer justificativa em que o fenômeno se lhe apresente, porque esse comportamento gera dificuldades para o conjunto, sendo lamentável essa autopermissão...

Aos médiuns passistas cabem os cuidados para manter-se receptivos às energias saudáveis que provêm do Mundo maior, canalizando-as para os transeuntes de ambos os planos no momento adequado.

Todo o movimento entre as duas esferas de ação deve acontecer suavemente, como num centro cirúrgico, que o é, de modo a refletir-se na segurança do atendimento que se opera.

Os círculos mediúnicos sérios, que atraem os Espíritos nobres e encaminham para os seus serviços aqueles desencarnados que lhes são confiados, não podem ser resultado de improvisações, mas de superior programação.

Os membros que os constituem estarão sempre atentos aos compromissos assumidos, de forma que possam cooperar com os mentores em qualquer momento que se faça necessário, mesmo fora do dia e horário estabelecidos.

Pontualidade de todos na frequência, cometimento de conduta no ambiente, unção durante os trabalhos e alegria por encontrar-se a serviço de Jesus são requisitos indispensáveis para os resultados felizes de uma reunião mediúnica séria à luz do Espiritismo.

10
Advertência aos médiuns

Allan Kardec afirmou com sabedoria que *"a mediunidade é simplesmente uma aptidão para servir de instrumento mais ou menos dúctil aos espíritos em geral"*. (*O Evangelho Segundo o Espiritismo*, Cap. XXIV, Item 12.)

Por essa e outras razões, os médiuns não se podem vangloriar de haverem sido eleitos como missionários da Nova Era, deixando-se sucumbir aos tormentos da fascinação sutil ou extravagante.

A atividade mediúnica, por isso mesmo, constitui oportunidade abençoada para o aperfeiçoamento intelecto moral do indivíduo, que se permitiu dislates em reencarnações anteriores, comprometendo-se em lamentáveis situações espirituais.

A mediunidade é, portanto, um ensejo especial para a autorrecuperação, devendo ser utilizada de maneira dignificante, em cujo ministério de amor e de caridade será encontrada a diretriz de segurança para o reequilíbrio do ser humano.

Quando se trata de mediunidade ostensiva, com mais gravidade devem ser assumidos os deveres que lhe dizem respeito, porquanto maior se apresenta a área de serviço a ser desenvolvido.

Em qualquer tipo de realização nobilitante sempre se enfrentam desafios e lutas, em razão do estágio evolutivo em que se encontram os seres humanos e o planeta terrestre. É natural que haja alguma indiferença pelo que é bom e elevado, quando não se apresentam hostilidades em trabalho impeditivo da sua divulgação.

Sendo a mediunidade um recurso que possibilita o intercâmbio entre o mundo físico e o espiritual, apesar de as mentes desprevenidas ou ainda arraigadas na perversidade tudo investirem para impedir que o fenômeno ocorra de maneira saudável, ela proporciona os meios para restabelecer a ordem moral e confirmar-se a imortalidade do espírito, propondo-lhe equilíbrio e venturas no porvir.

Não são poucos os obstáculos a serem transpostos por todo aquele que se candidata ao relevante labor mediúnico. Os primeiros encontram-se no seu mundo íntimo, nos hábitos doentios a que se acostumou no pretérito, quando permaneceu distanciado dos deveres morais, criando problemas para o próximo, que resultaram em inquietações para si mesmo na atualidade. A luta a ser travada para a superação do desafio ninguém vê, exceto aquele que está empenhado no combate em favor da autolibertação, impondo-se a necessidade de rigorosas disciplinas que possam proporcionar-lhe novas condutas saudáveis, capazes de facilitar-lhe a execução das tarefas espirituais sob a responsabilidade e o comando dos Mensageiros do Senhor.

O estudo consciente da faculdade mediúnica e a vivência dos requisitos morais são, a seguir, outro grande desafio, por imporem condições de humildade no desempenho das tarefas, tomando sempre para si as informações e advertências que lhe chegam do Mais Além, ao invés de transferi-las para os outros.

O médium sincero, mais do que outro lidador laborioso em qualquer área de ação, encontra-se em constante perigo, necessitando de aplicar a vigilância e a oração com frequência, de modo a manter-se em paz ante o cerco das entidades ociosas e vingadoras da erraticidade inferior. Isto porque, comprazendo-se na prática do mal, a que se dedicam, as mesmas transformam-se em inimigos gratuitos de todos aqueles que lhes parecem ameaçar a situação em que se encontram.

Por isso mesmo, a prática mediúnica reveste-se de seriedade e de entrega pessoal, não dando espaço para o estrelismo, as competições doentias e as tirânicas atitudes de agressão a quem quer que seja...

Devendo ser passivo, o médium, a fim de bem captar o pensamento que verte das Esferas Superiores, cuida do próprio comportamento, que se deve caracterizar pela jovialidade, pela compreensão das dificuldades alheias, pela compaixão em favor de tudo e de todos que encontre pelo caminho.

As rivalidades entre médiuns, que sempre existiram e continuam, defluem da inferioridade moral dos mesmos, porque a condição mais relevante a ser adquirida é a de servidor incansável, convidado ao trabalho na seara por Aquele que é o Senhor.

Examinar com cuidado as comunicações de que se faz portador, evitando a divulgação insensata de temas geradores de polêmica, a pretexto de revelações retumbantes, já que defendê-los constitui inadvertência e presunção, por considerar-se como o *vaso escolhido* para as informações de alto coturno que o mundo espiritual libera, somente quando isso se faz necessário. Jamais esquecer, quando incluído nessa categoria, que o caráter da *universalidade do ensino,* conforme estabeleceu o mestre de Lyon, é fundamental para demonstrar a qualidade e a origem do ensinamento, se pertencente a um espírito ou se, em chegando o momento da sua divulgação entre as criaturas humanas, procede da espiritualidade superior.

Quando se sente inspirado a adotar comportamentos esdrúxulos, informações fantasiosas e de difícil confirmação, materializando o mundo espiritual como se fosse uma cópia do terrestre e não ao contrário, certamente está a desserviço do Bem e da divulgação do Espiritismo.

O verdadeiro médium espírita é discreto, como convém a todo cidadão digno, evitando, quanto possível, o empenho em impor as revelações de que se diz instrumento.

De igual maneira, quando o médium passa a defender-se, a criticar os outros, a autopromover-se, a considerar-se melhor do que os demais, encontra-se enfermo espiritualmente, a caminho de lamentável transtorno obsessivo ou emocional.

A sua sensibilidade é considerada não apenas pelo fato de receber os Espíritos Superiores, mas pela facilidade de comunicar-se com todos os espíritos, conforme acentua o insigne codificador.

Assim deve considerar, porque a mediunidade é, em si mesma, neutra, podendo ser encontrada em todos os tipos humanos, razão pela qual não se trata de uma faculdade espírita, porém humana, que sempre existiu em todas as épocas da sociedade, desde os tempos mais remotos até os atuais.

No trabalho silencioso e discreto do atendimento aos sofredores, seja no seu quotidiano em relação aos companheiros da romagem carnal, seja nas abençoadas reuniões de atendimento aos desencarnados em agonia, assim como àqueles que se rebelaram contra as *Leis da vida*, encontrará o medianeiro sincero inspiração e apoio para a desincumbência da tarefa que abraça.

Dedicando-se ao labor da caridade sem jaça, granjeia o afeto dos espíritos elevados que passam a protegê-lo sem alarde e a inspirá-lo nos momentos de dificuldades e de sofrimentos, consolando-o nos testemunhos e na solidão que, não raro, dominam-lhe as paisagens íntimas.

Consciente da responsabilidade que lhe diz respeito, não se preocupa com as louvaminhas e os aplausos da leviandade, em agradar aos poderosos e aos insensatos que o buscam, por compreender que está a serviço da verdade, que, infelizmente, ainda, como no passado, não existe lugar para a sua instalação. Dessa forma, mantém-se fiel à sua implantação interna, vivendo-a de maneira jovial e enriquecedora, dando mostras de que o *Reino dos Céus* instala-se a princípio no *coração,* de onde se expande para o mundo transcendente.

Tem cuidado na maneira pela qual exterioriza as informações recebidas, dando-lhes sempre o tom de naturalidade e de equilíbrio, evitando o deslumbramento que a ignorância em torno da sua faculdade sempre reveste com brilho falso os que são seus portadores.

Jamais deve permitir-se a presunção, acreditando-se irretocável, herdeiro da memória e dos valores dos missionários do passado próximo ou remoto, tendo em Jesus-Cristo e não em pessoa alguma o seu *guia e modelo.*

Despersonalizar-se para que nele se reflita a figura incomparável do Mestre de Nazaré, eis uma das metas a conquistar, recordando-se de João Batista, que informou a necessidade de se "*diminuir para que Ele crescesse*", considerando-se indigno de atar as amarras das Suas sandálias...

A mediunidade é instrumento que se pode transformar em vínculo de luz entre a Terra e o Céu, ou em furna de perturbação e sofrimento onde se homiziam os invigilantes e desalmados, em conflitos e pugnas contínuas.

A faculdade, em si mesma, é portadora de grande potencialidade para proporcionar a felicidade, quando o indivíduo que a aplica no Bem procura servir com bondade e alegria, evitando a disputa das glórias mentirosas do mundo físico, assim como os desvios de conduta responsáveis pelas quedas morais da sua aplicação indevida.

As trombetas do mundo espiritual ressoam hoje como em todos os tempos nas consciências alertas, convocando os corações afetuosos para o grande empreendimento de iluminação de vidas e de sublimação de sentimentos, atenuando as dores expressivas deste momento de transição de *mundo de provas e expiações* para *mundo de regeneração.*

Aos médiuns dignos e sinceros cabe a grande tarefa de preparar o advento da Era Nova, conforme o fizeram aqueles que se tornaram instrumento das mensagens libertadoras que foram catalogadas por Allan Kardec, nos seus dias, elaborando a Codificação espírita, e que se mantêm atuais ainda hoje, prosseguindo certamente pelos dias do futuro.

Que os médiuns, pois, se desincumbam do compromisso e não da missão, como alguns levianamente o interpretam, gerando simpatia e solidariedade, unindo as pessoas que constituem uma grande família, e sustentando-lhes a sede e a fome de luz e de paz, de esperança e de amor, como somente sabem fazer os Guias da Humanidade a serviço de Jesus.

11
Médiuns inseguros

A insegurança é característica da criatura humana, que ainda se encontra encarcerada em conflitos que remanescem de fracassadas experiências transatas.

Homens e mulheres inquietos deixam-se arrastar pelos receios provacionais a que fazem jus, reparando antigos dramas que não desapareceram dos painéis espirituais.

Ressurgem, amiúde, atormentando, mediante clichês infelizes que assaltam a consciência, estabelecendo a fixação de paisagens mórbidas nos recessos do ser, transformando-se em torpes estados patológicos que exigem terapia de curso demorado.

É natural que onde se encontrem exteriorizem os estados íntimos, dificultando-lhes a estabilidade emocional, o equilíbrio psíquico.

As suas atividades fazem-se acompanhar pelos conflitos existenciais, o que lhes constitui sofrimento constante.

Quando se dedicam ao exercício da mediunidade, especificamente, a insegurança torna-se-lhes um sinal permanente na conduta, mais impossibilitando o correto e produtivo exercício da faculdade.

Médiuns existem de todos os tipos imagináveis, em um elenco variado quão complexo, pelas características que assinalam cada espírito. Mesmo quando portadores de semelhante faculdade, os valores intelecto morais diferenciam-nos, qual ocorre na área das faculdades mentais, em que as diferenças estabelecem padrões de capacidade e patamares de assimilação específicos.

No vasto campo da mediunidade, os portadores da percepção psíquica gostariam de possuir tais e quais recursos, graças a cujas expressões poderiam com maior tranquilidade entregar-se ao ministério. Supõem que, nas faixas do sonambulismo, na mediunidade inconsciente, estariam menos sujeitos aos conflitos, à insegurança, em razão da não interferência da lucidez nas comunicações.

Trata-se de um equívoco que merece elucidação.

O fato de o fenômeno ocorrer sem a consciência do intermediário não impede a dúvida do mesmo ou de outras manifestações perturbadoras. Invariavelmente, porque não acompanham com lucidez o que ocorre por seu intermédio, muitos criam bloqueios inconscientes como resultado da insegurança, dando curso a medos tão injustificáveis quão absurdos.

Nas comunicações conscientes ou semiconscientes, os médiuns podem exercer controle sobre o fenômeno, contribuindo eficazmente para os esperados efeitos positivos.

Indispensável que a insegurança emocional seja trabalhada psicologicamente e o indivíduo adquira autoestima e autoconfiança. Quanto mais saúde emocional, mental e física possuir o medianeiro, melhor será para o resultado das suas atividades espirituais.

Sem dúvida, o primeiro método a ser utilizado na libertação da insegurança é o estudo da própria faculdade, logo depois, aprofundamento mental nas possibilidades psíquicas de captação do pensamento dos Espíritos, assim como das emoções e sensações por eles transmitidas.

Simultaneamente, a reflexão, a meditação, como disciplinas mentais, produzindo silêncio interior que possibilite uma equilibrada sintonia com o mundo parafísico, de onde procedem as entidades comunicantes, gerando o clima ideal para o intercâmbio. Nesse *anular* do ego através do silêncio da mente, as comunicações dão-se sem quaisquer interferências do médium.

Igualmente, não se pode desconsiderar a oração, que produz harmonia e eleva a vibração do intermediário, propiciando-lhe a condição psíquica desejável para a sintonia com o agente espiritual.

O hábito salutar da conversação edificante atrai os Espíritos elevados, que passam a inspirá-lo, tornando-lhe claros o raciocínio, as ideias, com a possibilidade de mais fácil exteriorização.

A ação do bem, sob todas as formas, fará que o médium granjeie merecimento e a convivência saudável com as Entidades superiores interessadas no seu progresso.

A observância dessas condições, entre outras tantas igualmente relevantes, torna-se basilar para a superação da insegurança no exercício da mediunidade, abrindo espaços mentais para a autoconfiança, a autoentrega, a dedicação eficiente e total ao ministério iluminativo.

Os bons médiuns seguros são, igualmente, indivíduos equilibrados, de conduta irreprochável, sempre em harmonia interior, desenvolvendo o seu programa de cidadão que, na conceituação do Evangelho, é um verdadeiro cristão.

Médiuns irresponsáveis

Associou-se indevidamente à pessoa portadora de mediunidade ostensiva a qualidade de espírito elevado.

O desconhecimento do Espiritismo ou a informação superficial sobre a sua estrutura deu lugar a pessoas insensatas considerarem que o fato de alguém ser possuidor de amplas faculdades medianímicas caracteriza-o como um ser privilegiado, digno de encômios e de projeção, ao mesmo tempo possuidor de caráter diamantino, merecendo relevante consideração e destaque social.

Enganam-se aqueles que assim procedem, e agem perigosamente, porquanto a mediunidade é faculdade orgânica de que todos os indivíduos são possuidores, variando de intensidade e de recursos que facultem o intercâmbio com os espíritos, encarnados ou não.

Neutra, do ponto de vista moral, em si mesma, a mediunidade apresenta-se como oportunidade de serviço edificante, que enseja ao seu portador os meios de autoiluminar-se, de crescer moral e intelectualmente, de ampliar os recursos espirituais, sobretudo, preparando-se para enfrentar a consciência após a desencarnação.

Às vezes, espíritos broncos e rudes apresentam admiráveis possibilidades mediúnicas, que não sabem ou não querem aproveitar devidamente, enquanto outros que se dedicam ao Bem, que estudam as técnicas da educação da referida faculdade, não conseguem mais do que simples manifestações fragmentárias, irregulares, quase decepcionantes do ponto de vista de conteúdo, de qualidade...

Não se devem entristecer aqueles que gostariam de cooperar com a mediunidade ostensiva, porquanto a seara do amor possui campo livre para todos os tipos de serviço que se possam imaginar.

Ser médium da vida, ajudando no lar e fora dele, exercitando as virtudes conhecidas constitui forma elevada de contribuir para o próprio como para o progresso e desenvolvimento da humanidade.

Através da palavra, oral e escrita, quantos socorros podem ser dispensados, educando-se as criaturas, orientando-as, levando-as à edificação pessoal, na condição de médium do esclarecimento?!

Contribuindo nas atividades espirituais da Casa em que moureja, mediante a oração e a concentração durante as reuniões especializadas de esclarecimento, qualquer um se torna médium de apoio.

De igual maneira, através da aplicação dos passes, da fluidificação da água, brindando a bioenergia, logra-se a posição de médium da saúde.

Na visita aos enfermos, mantendo diálogos reconfortantes, ouvindo-os com paciência e interesse, amplia-se-lhe o campo da mediunidade da esperança.

Mediante a conversação edificante com os aturdidos e perversos, de um ou do outro plano da vida, exerce-se a mediunidade fraternal de iluminação da consciência.

Nesse mister, aguça-se a percepção espiritual e desenvolvem-se os pródromos das faculdades adormecidas, que se irão tornando mais lúcidas, a fim de serem usadas dignamente em futuros cometimentos das próximas reencarnações.

Ser médium é tornar-se instrumento maleável e consciente do ministério de amor, e, de alguma forma, como todos se encontram entre duas situações vibratórias, ei-los incursos na posição intermediária.

Ter facilidade, porém, para sentir os espíritos, é compromisso que vai além da simples aptidão de contatá-los.

Desse modo, à semelhança da inteligência, que se pode apresentar em indivíduos de péssimo caráter, que a usam egoística, perversamente, ou como a memória, que brota em criaturas desprovidas de lucidez intelectual, e perde-se pela falta de uso correto, também a mediunidade não é sintoma de evolução espiritual.

Allan Kardec, que veio em nobre missão, espírito evoluído que é, viveu sem apresentar faculdades mediúnicas ostensivas, enquanto outros indivíduos do seu tempo, inescrupulosos, exerceram a mediunidade mantendo um comportamento moral infeliz, vendendo os seus serviços, enxovalhando a faculdade, criando grandes empecilhos à divulgação da Doutrina Espírita que, indevidamente, foi confundida com os maus exemplos desses irresponsáveis.

Certamente, o médium ostensivo, *aquele que facilmente se comunica com os Espíritos,* quando é dotado de sentimentos nobres e possui elevação, torna-se missionário do Bem nas tarefas a que se entrega, ampliando os horizontes do pensamento em torno da imortalidade, para a vitória do ser libertado das paixões primitivas.

Normalmente, e as exceções são subentendidas, os portadores de mediunidade ostensiva, porque se encontram em provações reparadoras, falham no desiderato, após o deslumbramento que provocam e a autofascinação a que se entregam por invigilância e presunção.

Toda e qualquer expressão de mediunidade exige disciplina, educação, correspondente conduta moral e social do seu possuidor, a fim de facultar-lhe a sintonia com os espíritos superiores, embora o convívio com os infelizes que lhe cumpre socorrer.

O médium irresponsável, porém, não é apenas aquele que, ignorando os recursos de que se encontra investido, gera embaraços e perturbações, tombando nas malhas da própria pusilanimidade, mas também aqueloutros que, esclarecidos quanto à gravidade do compromisso, permitem-se veleidades típicas do caráter doentio que possuem, terminando vitimados pelas obsessões cruéis a que fazem jus.

Todo aquele, portanto, que deseje entregar-se ao ministério da caridade, na seara dos médiuns, conscientize-se da responsabilidade que lhe diz respeito e, educando a faculdade, torne-se apto para o compromisso dignificante, servindo sempre e crescendo intimamente com os olhos postos no próprio e no futuro feliz da sociedade.

Médiuns fiéis

Exigir-se do fenômeno mediúnico, pura e simplesmente, uma qualidade que o torne excelente, pode tornar-

-se um problema de difícil equação, em face das complexidades de que se reveste.

Considerando-se a multiplicidade de fatores que se fazem necessários para uma comunicação ideal, tal ocorrência passa a merecer reflexão cuidadosa, sem os excessos de exigências que transformem o medianeiro em máquina de efeitos automáticos, destituída de sentimentos e sensações, além do somatório das suas experiências no transcurso da sua marcha evolutiva.

Na área dos fenômenos mediúnicos intelectuais ou subjetivos, defrontam-se várias dificuldades a superar, de modo que a ocorrência dê-se tranquila e fiel quanto possível.

De início, é necessário levar-se em consideração a afinidade vibratória que deve viger entre o Espírito desencarnado e o médium, sem cuja identificação fluídica ou simpatia emocional haverá uma reação natural entre ambos, que impede a manifestação correta.

Sendo o médium um *feixe de nervos de alta sensibilidade*, o seu passado espiritual reflete-se na sua atual personalidade, com o conteúdo das experiências que o situam em nível inferior ou elevado na escala do progresso que todos percorremos.

A simples adesão ao exercício mediúnico não lhe altera imediatamente a irradiação dos componentes morais, que se expressam pelas exteriorizações do perispírito, gerando um campo no qual o comunicante liga-se, dando margem à manifestação do seu pensamento.

Mente a mente, a ideia é transmitida – e assimilada – dentro dos limites do agente e das possibilidades de registro do medianeiro.

Somente através de uma educação mental bem direcionada para lograr o silêncio íntimo, a harmonia da passividade, torna-se possível a captação da mensagem espiritual, enquanto a imantação da energia de um no outro ser produz as correspondentes emoções que acompanham a emissão da ideia, estabelecendo-se o clima propício ao resultado anelado.

Tal fenômeno é sutil e muito delicado, impondo disciplina mental e exercício constante do médium, que passará a *anular* a personalidade, cada vez mais ensejando ao *hóspede* apropriar-se das suas faculdades e manipulá-las até que uma verdadeira harmonia se produza entre ambos, que coexistirão durante o fenômeno em *osmose* psíquica plena.

O prosseguimento do esforço de identificação entre o encarnado e o desencarnado facultará a assimilação das energias responsáveis pela diminuição da lucidez mental do primeiro e pelo predomínio da vontade e do pensamento do segundo.

Diante, porém, da população espiritual ansiosa por comunicar-se com o mundo físico, somente a conduta moral saudável do médium resguarda-o das ciladas e insistências dos perturbadores, dos mentirosos e dos insensatos que permanecem no além-túmulo aferrados às paixões que cultivaram no plano orgânico.

Nesse esforço moral de autoaprimoramento, não devemos desconsiderar a educação da faculdade através do estudo cuidadoso em torno do funcionamento dos seus mecanismos e equipamentos pelos quais se comunicam os Espíritos. Ademais, as atividades espirituais da caridade, sob todos os aspectos considerados – moral, material e espiritual – treinando os sentimentos de amor e de humildade, tornam-no simpático e respeitado na sua esfera de ação.

Essa irradiação psíquica faz-se caracterizar por altas cargas vibratórias que o defendem das investidas dos seres inferiores, agressivos ou perversos, que prosseguem ensandecidos, desejando manter o estado de desequilíbrio geral, assim como o próprio...

A educação da mediunidade é de largo porte, propiciando o cultivo das ideias saudáveis, otimistas, beneficentes, gerando alegria íntima e contínua sintonia com a realidade parafísica.

O médium, em todo momento, mantém as percepções em atividade, sintonizando sempre conforme a direção do pensamento, das aspirações, das ações, e não somente durante as reuniões experimentais.

O contato com os sofredores da Terra – os mais infelizes enfermos e desesperados – produz o desenvolvimento das forças psíquicas, especialmente quando aplicadas para melhorar-se, ao mesmo tempo aprendendo a constatar a fragilidade humana e a presença das inderrogáveis leis de causa e efeito, que se lhe tornam um convite à humildade real, à simplicidade, à vivência do bem.

Adversários cruéis que existem na paisagem moral de quase todos os indivíduos e especialmente na do médium, são o orgulho, a presunção, a vaidade, todos filhos espúrios do egoísmo, que o levarão à perdição, tornando-o, pela própria invigilância, instrumento dos mistificadores, que o atirarão aos abismos do ridículo, da humilhação e do abandono a que serão relegados por aqueles que também se tornaram responsáveis pela sua volúpia e insensatez.

Não existem pessoas perfeitas no mundo terrestre e, por extensão, o médium perfeito ainda é uma quimera.

Supor-se como tal, deixando de ouvir as instruções de que se faz objeto por parte dos bons espíritos, não as incorporando à vivência, acreditando-se privilegiado ou mais bem aquinhoado do que os demais, constitui grave compromisso que o levará ao desar, à desarmonia íntima.

Quanto mais amplas sejam as possibilidades mediúnicas, mais responsabilidades morais e dívidas a resgatar pesarão na economia evolutiva do medianeiro, que se deve revestir de simplicidade, autoconscientizando-se do muito que deve fazer em favor de si mesmo, vencendo as paixões primitivas e as tendências à prepotência, à dominação, ao exibicionismo que nele predominam.

O médium fiel vigia *as nascentes do coração*, serve e passa sem exigir qualquer retribuição. Tem os olhos postos no futuro e avança, passo a passo, em silenciosa atitude de otimismo, perseverando nas horas boas e difíceis com o mesmo ardor, sem queixas, sem sentimentos de disputa ou de revide ao mal, conduzido pelos espíritos guias que estão acima das opiniões da humanidade, de onde contemplará o porvir feliz que a todos está reservado, e, em especial, aos que se entregam ao Bem e nele confiam.

12
Invigilância mediúnica

Muitos adeptos da mediunidade adentram-se pelo Movimento Espírita com propósitos sinceros de servir e de crescer moralmente, desenvolvendo os valores que se lhes encontram adormecidos, realmente anelando pela honra de trabalhar na seara da luz.

No início, lutando pela oportunidade de educar a faculdade mediúnica, de forma que se possa transformar em instrumento útil para o ministério do auxílio, deixam-se dominar pelas emoções, olvidando-se da reflexão e dos cuidados que todo esforço de tal ordem exige de quem se lhe propõe executar.

Ao longo do tempo, percebendo que o labor abraçado é constituído por sacrifícios, renúncias e provações, começam a desencantar-se com os métodos da disciplina, da caridade em relação ao próximo, de ambos os *lados da vida*, colocando o estudo sério em plano secundário.

Percebendo que a mediunidade produz uma aura de transcendência por parte daqueles que desconhecem o Espiritismo, passam a favorecer ou a produzir fenômenos de efeito e de impacto, que fascinam as massas ingênuas e mesmo indivíduos mais experientes, facultando prestígio àqueles que se lhe fazem instrumento.

Ante o público fútil e gozador, mais interessado em novidades do que em realizações edificantes, começam esses companheiros levianos a imaginar informações destituídas de legitimidade, lentamente banalizando a mediunidade e tornando-se *pessoas prodígio*, esclarecendo que sempre o foram desde a infância, repetindo, porém, as experiências de outros que os fascinam e procuram imitar.

Anunciam acontecimentos carregados de tragédias, são hábeis em previsões de hecatombes e desgraças, referem-se a ocorrências grandiosas que presenciaram durante o sono fisiológico, quando se encontrariam parcialmente desdobrados, identificam os Espíritos com facilidade incomum, transformam-se em vestais do Além e permitem-se ser considerados como instrumentos preciosos da Divindade...

Nesse comenos, para dar autenticidade à façanha anímica ou simplesmente imaginativa, asseveram receber entidades venerandas, transformando-se em orientadores sem a mínima condição moral ou espiritual, pondo em ridículo nomes respeitáveis que agora se encontram na erraticidade, demonstrando uma intimidade que realmente não mantêm com os nobres guias da humanidade.

De um para outro momento, saltam das experiências mais simples no campo do exercício mediúnico para as comunicações mais graves, selando com a respeitabilidade dos nomes honoráveis o que escrevem ou enunciam, com ênfase e pompa, embora mantendo um manto de humildade que lhes disfarça a presunção, num verdadeiro campeonato de competição com os demais servidores da Causa de Jesus, despreocupados com as glórias do mundo e comprometidos com a ação do Bem.

Com muita propriedade, o sábio codificador do Espiritismo considerou que o bom médium não é aquele que apenas recebe os bons Espíritos, mas aquele que tem facilidade para as comunicações, isto é, que possui sensibilidade e sintoniza facilmente com os mais diversos, demonstrando, dessa forma, a sua maleabilidade para a execução do fenômeno.

À semelhança de qualquer outra faculdade da alma, que no corpo se reveste de células para a finalidade a que se destina, a mediunidade exige cuidadosa educação, impondo àquele que a possui seriedade, vida mental ativa e equilibrada, contínua sintonia com os campos vibratórios diferenciados do envoltório físico, comportamento mental saudável, sentimentos de solidariedade e de compaixão, a fim de atrair os espíritos bondosos, que têm interesse em contribuir em favor do progresso da humanidade.

Trata-se de um esforço contínuo e discreto, sem testemunhas nem aplausos, no santuário interior, em convivência permanente com as fontes geradoras da vida.

O médium sincero e interessado no seu, como no desenvolvimento do grupo social no qual se encontra, é discreto, mantendo pudor em relação às comunicações de que é objeto, não se jactando nem se impondo, antes preservando-se nos cuidados que devem constituir a pauta de comportamento de todo e qualquer cidadão de bem.

É, portanto, estranhável, e não merece fé, a conduta de indivíduos que, de um para outro momento, transformam-se em médiuns ostensivos ou fazem-se passar como tal, deixando-se seduzir pela imaginação fértil e ambiciosa ou por inspiração dos espíritos frívolos que se comprazem com a sua leviandade e presunção.

Eis por que o ministério edificante de participação nas reuniões de consolo aos desencarnados em aflição torna-se-lhes de relevante significado, porque os educa no dever e lhes desenvolve as emoções delicadas que abrem espaço para as virtudes da caridade, da compaixão e para os sentimentos de solidariedade.

Nessas reuniões e, logo depois, naquelas de natureza desobsessiva, não há lugar para exibicionismos de ocasião, nem disputas por lugares de destaque no picadeiro do circo social dos desocupados...

Entregam-se ao labor de enfermagem espiritual em relação aos irmãos da retaguarda aflitiva, corrigem os hábitos doentios, edificam-se na fixação da caridade e aprendem as sutilezas do serviço anônimo, desde que desconhecem aqueles a quem oferecem os recursos valiosos da faculdade mediúnica.

A viagem da ignorância para o conhecimento é feita de experiências contínuas no esforço da autoeducação, da autorrenovação, da autoiluminação.

Longa é a marcha, em razão dos vícios que jazem em predomínio em a *natureza animal*, ressumando com frequência em situações de invigilância ou de descuido moral.

A fixação das novas conquistas é lenta, embora segura, diluindo as sombras teimosas do pensamento atrasado e ampliando os horizontes do entendimento espiritual em torno dos valores reais, em relação àqueles aos quais são atribuídos significados que não possuem.

Dia a dia, mantendo as intenções salutares e preservando o esforço de realizar o que deve, adquire afinidade com as vibrações sutis, aprendendo a libertar-se daquelas que são perturbadoras e facultam a sintonia com os espíritos perversos.

Certamente, manterá contato com os mesmos, pois que eles necessitam de compaixão e auxílio, em vez de campo largo para prosseguirem nos dislates que se permitem. A situação, porém, não será deplorável para o médium, mas de significação proveitosa, porque o adverte sem palavras sobre os riscos e os desafios a que se encontra submetido enquanto transitando pelo carro orgânico.

Tal comportamento austero impede, sim, que as suas forças psíquicas e físicas sejam dominadas por esses verdugos que permanecem fora do corpo físico, ainda comprazendo-se em infelicitar, em gerar conflitos e dificuldades.

Assim procedendo, o médium sincero adquire respeitabilidade mesmo em relação aos desencarnados que lhe percebem as emanações psíquicas e morais, sendo simpático aos bons e ficando refratário aos maus.

Esse abençoado ministério impõe graves responsabilidades, que nunca impedem o médium de ser talvez enganado, mistificado ou fascinado, caso mantenha nas íntimas paisagens interesses escusos em relação à faculdade. Havendo-a recebido gratuitamente, como instrumento hábil para reparar o passado de enganos, para crescer emocional e espiritualmente, não se pode aproveitar para conseguir as compensações materiais sempre dispensáveis, porque nada se equipara a uma consciência tranquila, quando se vive corretamente.

Os indivíduos sobrecarregam-se de coisas vãs como mecanismo de fuga ao enfrentamento com a sua realidade profunda, anestesiando-se com as preocupações externas pelo recear do autoconhecimento.

Desse modo, preservar-se o médium das ambições fascinantes e mentirosas do mundo constitui um dever impostergável, que o auxiliará na conquista interior da paz, que lhe é imprescindível para o exercício digno da faculdade que lhe foi concedida pelo Senhor da vida para a própria felicidade.

13
Oração do médium fiel

Senhor da Vida!

Fazei de mim instrumento da vossa misericórdia, a fim de que eu possa contribuir em favor da sociedade na qual me movimento, oferecendo os recursos espirituais que estejam ao meu alcance.

Iluminai a minha consciência e guiai os meus sentimentos de forma que me possa transformar em ponte espiritual para que os irmãos desencarnados em sofrimento, por meu intermédio, recebam os esclarecimentos necessários à sua libertação.

Concedei-me a bênção da misericórdia e da compaixão, para que a sublime luz da caridade se esparza do meu amor, beneficiando os corações amargurados e os espíritos que se encontram em desalinho, estorcegando nas traves invisíveis da revolta e do desespero.

Favorecei-me com o discernimento para melhor compreender e atender os compromissos que por mim se encontram firmados desde antes do berço, não me desviando, em momento algum, dos deveres de elevação e de paz.

Amparai-me a fragilidade moral, fornecendo-me energias benéficas, portadoras de ternura e de carinho, a fim de poder superar as provas do caminho, tomado de agradecimento por tudo e sem resíduos ou mágoas de qualquer natureza.

Ajudai-me na difícil escalada evolutiva, em face das amarras vigorosas que me atam à retaguarda, de onde me ressumam os problemas não resolvidos.

Alçai-me aos páramos da imarcescível luz de que necessito, vencendo as sombras teimosas que me ameaçam o avanço.

Auxiliai-me na docilidade, dando-me coragem para exercer a bondade, concedendo-me nobreza para melhor compreender, ensejando-me clareza mental na aceitação das ocorrências e favorecendo-me com a couraça da fé para não desanimar nem temer.

Propiciai-me sabedoria para distinguir o que devo fazer daquilo que não me é lícito realizar, de modo a evitar no futuro conflitos desnecessários ou arrependimento injustificável.

Vós, que sois a Vida, tende misericórdia do vosso fâmulo, que se encontra disposto a servir, mas teme equivocar-se, repetindo os calamitosos delitos do passado.

Facultastes-me a oportunidade de trabalhar na mediunidade, porque, através do olvido de mim mesmo, dos interesses mesquinhos a que me apego, possa deixar-me diminuir as imposições do ego enfermo, para facultar a outros espíritos a oportunidade de reabilitação e de reconstrução do mundo íntimo, crescendo no rumo da sociedade feliz do amanhã.

Honrado pelo tesouro da mediunidade, favorecei-me com a simplicidade interior, com a abnegação necessária e o entusiasmo sem alarde, na obra de amor a que dais continuidade através dos tempos.

Reconhecendo-me portador de debilidade no que se refere às forças morais para tão grave realização, qual é o ministério de amor e de luz, em vós busco os recursos de sustentação e as diretrizes de segurança para seguir com devotamento e humildade até o fim.

Senhor da Vida!

Ponho-me sob a vossa proteção, deixando que se faça em mim *segundo a vossa vontade,* e não a minha própria.

14
Conversações infelizes

As conversações pessimistas e vulgares, muito do agrado das pessoas frívolas e insensatas, além de denotarem ignorância e primarismo, facultam o intercâmbio com os Espíritos zombeteiros e desocupados, que se comprazem no conúbio de natureza obsessiva.

Fala-se, invariavelmente, daquilo de que está *cheio o coração*, conforme a conceituação apresentada por Jesus.

Escasseando os ideais de beleza e sendo mais sutil a inspiração superior, a pessoa que se permite as conversas chulas transita em lamentável condição para os distúrbios emocionais de largo porte, que se generalizam, dando lugar a uma sociedade aprisionada em clichês de sentido dúbio, em comunicações destituídas de profundidade, que sempre degeneram em conflitos e distúrbios de conduta.

A vida é bênção de alto significado para o Espírito, tendo-se em vista as oportunidades incomparáveis de crescimento interior e de conquista de valores éticos, assim como de contemplação de belezas indescritíveis, fixando-se nas delicadas estruturas da memória, em forma de mensagens representativas do amor de nosso Pai.

Malgrado os convites inumeráveis ao otimismo e à alegria de viver, o hábito arraigado de cultivar ideias deprimentes favorece a sintonia com as mentes viciadas da espiritualidade inferior.

Torna-se inevitável a sintonia entre os seres humanos de ambos os planos da vida, tendo-se em vista a identificação de ondas, pensamentos, vibrações e sentimentos que os caracterizam.

As afinidades dão-se através da sintonia ideológica e dos comportamentos mentais e emocionais, favorecendo a união em diferentes faixas do processo de evolução.

Em razão disso, a mente deve fixar-se em ideias edificantes, de forma que a voz expresse conteúdos e significados de alta magnitude, vibrando em campos específicos de elevação espiritual, que facultam a convivência com os veneráveis mensageiros do amor e do progresso.

Em caso contrário, quando se cultivam os morbos das queixas, das censuras e das conversações infelizes, evidentemente ocorre a sintonia com as energias deletérias que envolvem o planeta e são mantidas pela invigilância daqueles que assim procedem.

A emissão da voz, nas conversações, é muito representativa do estado interior de cada pessoa.

O ideal seria que fosse canalizada para a harmonia, a oferenda de bênçãos, o conforto moral, a distribuição de conhecimentos libertadores, a ampliação da sabedoria...

Desacostumado às emoções sutis que vertem das esferas superiores, ou incapaz de captá-las por encontrar-se distanciado dos campos em que se manifestam, o indivíduo opta pela permanência nos charcos mentais, exteriorizando pelo verbo o bafio pestilento que o intoxica.

Razão alguma existe para justificar-se o diálogo azinhavrado pelas palavras carregadas de grosserias, compostas por verbetes de significação deprimente e perturbadora.

Nos processos típicos dos transtornos depressivos, a lamentação, a autocompaixão e o cultivo do desprezo pela palavra constituem sintomas clássicos do desconforto moral do paciente e da aceitação de permanecer no poço em que se permitiu tombar por invigilância ou desar.

Invariavelmente, o desinteresse pela renovação interior, a submissão à situação deplorável, a ausência de qualquer esforço para entender a mensagem que o transtorno propõe, significam a entrega total à injunção penosa que o enfermo se permite.

Tudo, na Terra, é convite à luta, ao esforço de crescimento e ao trabalho de iluminação pessoal. Não existem concessões gratuitas nem realizações destituídas de sacrifício e de abnegação.

Quando se acompanha a glória que alguém alcança, não ocorrem as lembranças dos esforços empregados, das renúncias oferecidas, dos sacrifícios contínuos durante a ação que culminou no sucesso.

A visão da paisagem ridente no alto é permitida após a conquista do acume da montanha, nem sempre de fácil acesso.

Aquele que se aturde nos diálogos degradantes compraz-se em julgamentos indébitos a respeito do seu próximo, em acusações injustas às demais pessoas, em mecanismos de infelicidade, deixando-se permanecer inacessível a qualquer auxílio exterior.

Enclausurando-se no estreito cubículo do personalismo ferido, encontra inimigos em toda parte, especialmente onde estão as possibilidades de afeições nobres e dignificadoras.

Armando-se do conflito de inferioridade, alija-se do convívio saudável com as demais pessoas, para refugiar-se nos escombros da falta de autoestima, desferindo golpes sempre contra tudo e todos, sem favorecer-se com a oportunidade de pensar de maneira diferente, ensejando-se renovação e vida.

Em consequência, os Espíritos de comportamento idêntico são atraídos para essa área de vibrações doentias, passando a nutrir-se das ondas mentais que produzem vibriões em processos degenerados de ideoplastias enfermiças.

Por outro lado, tendo-se em vista que se trata de alguém com débitos perante as Leis Soberanas, os seus inimigos – aqueles que foram prejudicados no passado e não o perdoaram – mantêm a convivência hipnótica vingativa, que culmina em obsessão pertinaz.

À semelhança da planta parasita que se acolhe na árvore generosa e termina por destruí-la, roubando-lhe toda a seiva, o *parasita espiritual* também se aloja na aura do invigilante e passa a nutrir-se das suas energias, dominando-o por completo, a longo prazo.

Os processos de saúde, inobstante, têm início quando se operam os primeiros sentimentos e desejos de recuperação, ao tempo em que se acolhem os pensamentos saudáveis que se expressam em conversações agradáveis e positivas.

Nesse sentido, a oração, que favorece a mudança das paisagens íntimas, proporcionando emoções de bem--estar, opera a reconquista do equilíbrio.

As leituras portadoras de mensagens enriquecedoras de paz e de sabedoria conseguem arquivar-se na memória, substituindo as fixações doentias e mesmo conseguindo anulá-las.

É indispensável, portanto, que se evitem as más palavras, as que corrompem, aquelas que se encontram saturadas de significados obscenos e representativos das misérias e sordidez humanas.

Melhorar a condição cultural, abandonando o uso dos conceitos vis, deve constituir o programa psicoterapêutico para a conservação da saúde e a sintonia com a vida abundante.

Que a palavra sempre esteja carregada de vibrações de amor e de paz, a fim de felicitar não somente aqueles a quem é dirigida, mas, sobretudo, àquele que a enuncia.

O Evangelho de Jesus, o incomparável tratado de bênçãos ao alcance de todos, é uma sinfonia de superior beleza, elaborada com palavras luminosas, convidando às conversações libertadoras.

15
Conflitos humanos e obsessões coletivas

Indiscutivelmente, a sociedade terrestre vive um dos períodos mais graves de toda a sua História. Jamais se apresentaram de maneira tão volumosa, como na atualidade, os conflitos humanos e as obsessões coletivas.

A grandeza do conhecimento, nas suas mais diversificadas expressões, não tem conseguido obstar os desatinos humanos defluentes dos tormentos que tomam conta da criatura, que marcha sem rumo nestes dias tumultuosos.

A soberba decorrente da cultura e da tecnologia, da ciência e das artes, dos pensamentos filosóficos, da civilização e do seu elevado grau de conforto, das extraordinárias comunicações virtuais e de toda a gama de benefícios advindos dessas incomparáveis conquistas, sofre a agressão da própria insensatez por negar a existência de Deus e as excelências do Espírito que se é.

À medida que se ganha em informações técnicas e culturais, mas não em sabedoria, porquanto estão à margem os valores ético-morais que estruturam o equilíbrio emocional e respondem pela felicidade, mais a presunção parece afastar o ser humano da sua Causalidade.

Chega-se mesmo ao atrevimento de afirmar-se que os países ricos, superdesenvolvidos, serão todos ateus em período muito próximo, sem que se tenham em conta muitos fatores que podem reverter-lhes a situação.

Além das crises financeiras que periodicamente abalam as estruturas das grandes e poderosas nações terrenas, outras inesperadas e menos consideradas abatem a presunção humana, ferindo a autoestima dos mais atrevidos, em convites impostergáveis à meditação, como decorrência dos desastres de toda ordem, sejam sísmicos, sociais, nucleares, nas suas fortalezas de energia que tanto bem proporcionam, no entanto sob riscos incalculáveis a que dão lugar.

A sucessão de tsunamis, no século atual, e suas consequências imprevisíveis têm arrastado as multidões ao desespero e à insegurança, por mais cuidadosos planos de preservação do patrimônio e da vida, nos lugares erguidos sobre as grandes fossas e falhas terrestres, e, da mesma forma, os *corredores* de tornados, de furacões e de outros desastres naturais que anualmente ferem a grande nação americana do Norte, a Ásia, bem como as ameaças constantes das erupções vulcânicas, as chuvas e deslizamentos fatais, as secas que assolam grande parte da África e dos países mais pobres do mundo...

De igual maneira, as enfermidades causadas pelo abuso e desconsideração pela vida, resultado dos vícios perversos a que se permitem os indivíduos, as contaminações decorrentes da promiscuidade sexual, social e familiar, como a tuberculose, ao lado da AIDS, ceifando milhões de vidas, chamam a atenção para outras, as que decorrem dos distúrbios cardiovasculares, as degenerativas, demonstrando a fragilidade da argamassa celular em relação ao ser imortal.

Por outro lado, a ameaça constante dos famigerados programas de extermínio de etnias, nos países menos desenvolvidos, as preocupações com o terrorismo nos seus mais variados aspectos, demonstram que é possível preverem-se muitos desses males, nunca, porém, a possibilidade de evitá-los.

Todos esses fenômenos alarmantes que alcançam as pessoas, sem qualquer exceção, bem como a velhice e os seus efeitos desastrosos, quando não se soube edificá-la nos dias da juventude, constituem perigo para a ganância e as pretensões ousadas de uma vida que fosse indestrutível e inatacável no corpo físico.

Concomitantemente, a violência urbana assusta e o mundo estertora entre os dependentes de drogas químicas destrutivas e os psicopatas, que se avolumam de tal forma que, se todos os leitos da Terra fossem reservados apenas aos esquizofrênicos, seriam insuficientes para atendê-los.

Para onde marcha a sociedade?

Seis mil e seiscentos anos de decantada cultura e civilização são transcorridos, mas pequeníssima é a colheita de sabedoria e de paz.

O mundo tem sido governado mais por militares do que por poetas, filósofos, humanistas, demonstrando a predominância da força bruta sobre a grandeza do espírito e dos seus valores éticos.

As lições da História, que se repetem com regularidade através dos tempos, não têm valido muito para a edificação de uma sociedade mais feliz, menos agressiva e mais responsável, especialmente no que diz respeito ao próprio ser humano.

Muitas leis são elaboradas com frequência assustadora, umas substituindo as outras antes de serem aplicadas e vivenciadas, enquanto o crime, a anarquia, a desonestidade e o cinismo grassam em escala tão crescente quanto inimaginável.

Qualquer indivíduo, sinceramente firmado em propósitos de dignidade e de bom senso, perguntar-se-á: O que está acontecendo com a mulher e o homem contemporâneos? Do que lhes têm valido todas as realizações de que se vangloriam, se têm apenas uma breve duração, logo substituídas pelos desaires, pelo vazio existencial, pela depressão?

A correria desenfreada ao prazer, a fuga psicológica da realidade, cada vez mais empurram o indivíduo para o desequilíbrio, porquanto as mesmas sempre o aguardam adiante, por mais prolongada se faça a ignorância da sua presença, e ao surpreenderem o incauto produzem-lhe grande impacto de aflição e de desconcerto moral.

As religiões, muito preocupadas com a Terra, vêm se olvidando do objetivo essencial, que é o de preparar o ser humano para a sua imortalidade e para as consequências dos seus atos durante a caminhada carnal.

Algumas delas, hipnotizando as massas, prometem os recursos terrenos mediante pesados ônus que são utilizados pelos atuais *vendilhões do templo,* criando injustificável fanatismo em torno da fé que preconizam, em total desrespeito aos ensinamentos de Jesus e à Sua vida extraordinária.

O materialismo, caminhando ao lado dessas doutrinas mundanas, que se interessam pelos bens e pelo conforto momentâneo, sempre recebe nos braços os decepcionados, e os esmaga com as altas cargas de cinismo e de descrédito, retirando-lhes as bengalas psicológicas de apoio em que se sustentavam.

Estes são dias de graves convulsões, de toda natureza, na Terra por onde transitam as criaturas cultas e atormentadas, confortadas e inquietas, divertidas e solitárias, presunçosas e infantis...

Os valores a que dão significado e conferem legitimidade têm sido insuficientes para fazê-las harmoniosas, torná-las felizes...

Conflitos humanos

Na raiz das inquietações que varrem o Planeta sob o ponto de vista social e espiritual, a grande crise é de natureza moral.

Tem havido insuperável progresso exterior, sem que venha ocorrendo simultaneamente o de natureza interna.

Conquistam-se os espaços siderais, penetra-se na intimidade das micropartículas, realizam-se viagens monumentais, guerreia-se com armas inteligentes, formulam-se programas de apoio financeiro aos países em insolvência econômica, desenham-se planos para as cidades do futuro, sem a preocupação real com o ser humano, que merece todo o empenho e consideração.

No seu processo evolutivo, ele vem avançando a duras penas, do instinto à razão, sem haver conseguido a vivência da lógica e do bom-tom, não utilizando o raciocínio de maneira conveniente, porque ainda assinalado pelo egoísmo em primeiro lugar, olvidando o item essencial da solidariedade, que sustenta as vidas no grupo social, o que o afasta do seu próximo mais próximo, mesmo dentro do lar, dando lugar a torpes inquietações.

As comunicações virtuais – correspondências, jogos, estudos, informações, relacionamentos – impõem o individualismo, a solidão, e quando muito a comunhão estéril e fria através dos computadores e outros similares instrumentos, diminuindo o calor da proximidade, o significado da presença e da familiaridade, que assinalam estes como terríveis dias de multidões refertas de solitários...

As atrações para fora sempre resultam em danos para as reflexões internas, que perdem os espaços, substituídos pela futilidade e pelo gozo de efêmera duração, liberando os conflitos internos que se transferem de uma para outra existência corporal.

O Espírito é a soma das suas experiências, ao longo das reencarnações. O que não foi realizado conforme o programa evolutivo é transferido para outra oportunidade com a carga das consequências a que faz jus.

A violência, gerada pelo instinto de preservação da vida, que foi de grande utilidade no período primário da evolução, caso não seja substituída pela pacificação racional e disciplinada na mente, na emoção e na conduta, irrompe com frequência, ante qualquer contrariedade ou frustração, produzindo descompassos psicológicos inumeráveis. Se é escamoteada pelos processos da educação social, ressurgirá, mais tarde, como fenômeno alienante ou perturbador, em forma de depressão. Se liberada, torna-se desvario de consequências imprevistas.

O medo ancestral, que contribuiu no seu momento próprio para a manutenção da existência, mal conduzido transforma-se em fator de desconfiança e de animosidade em relação à vida, à sociedade, iniciando-se no lar como tormento inquietante.

A ansiedade resultante das expectativas ambiciosas, que normalmente tem um caráter psicológico saudável, transforma-se em desequilíbrio ante a volúpia das informações em massa e o desejo de participar de tudo e em tudo envolver-se, extrapolando a capacidade de seleção do realmente necessário, ante o secundário e o inútil.

Os hábitos enfermiços de ontem, não atendidos e não corrigidos em tempo, mediante os fatores educativos e morigerados, ressurgem, impondo-se e exigindo comportamentos altamente perigosos, que alucinam na drogadição, no tabagismo, no alcoolismo, nos desvarios eróticos do sexo em desalinho.

As condutas extravagantes e criminosas, carregadas de culpa, em razão de haverem atravessado os tempos silenciadas na consciência, induzem ao retorno às tribos, aos grupos esdrúxulos e mórbidos que agridem a sociedade.

Heranças atávicas do passado sempre se expressam no presente, como conflitos de inferioridade, de superioridade, de narcisismo, com a carga tóxica dos preconceitos que transformam os indivíduos em vândalos perversos e insensíveis...

Os dolorosos mecanismos de transferência psicológica são muitos e geradores de atribulações emocionais, porque os indivíduos não estão dispostos a enfrentar os seus limites e situações, avançando com coragem na conquista de si mesmos.

Todo e qualquer tipo de conflito emocional faz parte das realizações experienciadas pelo espírito no seu processo de crescimento para a vida.

Indispensável que o ser humano acorde para autoconhecer-se, a fim de modificar as estruturas íntimas, programando a existência saudável e vivendo-a dentro das possibilidades que lhe estejam ao alcance, sempre trabalhando por melhorar-se.

Para tanto, faz-se indispensável que se reserve tempo físico e mental para o mister iluminativo, a fim de sair da cova escura onde se encontra na caverna das heranças ancestrais.

Brilha, no seu mundo interior, a luz da saúde portadora da paz.

É inadiável a necessidade de buscá-la e deixar-se clarificar por dentro, desenvolvendo os sentimentos de autoamor, de compaixão, de solidariedade, de amizade, comungando com o seu próximo onde quer que se encontre.

A solidão proposital é má conselheira, pois que a mente despreparada logo se utiliza do espaço e do tempo para cultivar as ideias perturbadoras, dando campo aos conflitos dilaceradores e impondo crenças absurdas, de que as demais pessoas não lhe concedem estima, nem respeito e nem mesmo consideração... Suspeitas infundadas adquirem estrutura de falsa realidade, tornando o solitário um ser amargo e armado contra todos, quando deveria haver se esforçado para amar e ser amado por todos.

A vida é uma lição de participação, de cooperação em todos os sentidos e em todas as suas expressões, desde as mínimas organizações até os mais grandiosos conglomerados. Em todo lugar, a bênção da solidariedade em forma de submissão e de cooperação demonstra a necessidade da união fraternal entre as criaturas humanas que são o grande objetivo da Criação.

Ninguém, portanto, no mundo físico, que se não encontre assinalado pelos conflitos, sempre responsáveis pela insegurança emocional, pelas dúvidas afligentes, por algumas insatisfações... São perfeitamente saudáveis em determinados momentos a tristeza ou a melancolia, a ansiedade, o receio de ferir ou de ferir-se, a dificuldade de decisão em situações graves... O grande problema é quando esses fenômenos perturbadores tornam-se dominantes, substituindo a paz que deve viger no íntimo, a alegria de viver, os estímulos para o trabalho e para os enfrentamentos, a firmeza das decisões dignificadoras, o esforço contínuo para ser-se sempre melhor hoje do que ontem, em constante luta contra as más inclinações...

Ninguém se encontra na Terra em regime de exceção; todos, portanto, estão sujeitos às condições do *mundo de provas e de expiações*, em razão da sua própria situação de espírito em processo evolutivo ainda renteando com o primarismo de que não se conseguiu libertar.

Em seu benefício encontram-se as formosas conquistas da ética e da saúde, as formulações psicológicas e psiquiátricas libertadoras dos transtornos neuróticos e psicóticos, a contribuição inestimável das lições do Evangelho de Jesus, sem dúvida, o mais perfeito tratado psicoterapêutico preventivo e curador para as mazelas do corpo, da emoção e do espírito, ao alcance de todos quantos, honestamente, desejem o bem-estar e a paz.

Por isso, a lei inexorável das reencarnações torna-se o caminho seguro para as conquistas da plenitude, ensejando o desenvolvimento do *Cristo interno* de cada criatura, que pode tornar-se feliz desde o momento em que descobre o objetivo essencial da existência, que é a sua entrega ao amor e a Deus.

Uma pessoa saudável é de alto valor para o grupo social, que se torna igualmente equilibrado, abrindo espaço para realizações nobilitantes, superando agastamentos, ciúmes, lutas internas, disputas insignificantes, conturbações doentias... O ser portador de saúde moral e espiritual transforma-se no foco, facultando a aquisição de valores desconhecidos ou desconsiderados, mas de fácil conquista quando se tem boa vontade e interesse em crescer e servir.

Desse modo, a permanência de qualquer tipo de conflito no indivíduo faz parte do cardápio existencial, não o desanimando nem perturbando, pois que se está esforçando por vencer-se e vencer os desafios, desde que, para tanto, encontra na Doutrina Espírita as diretrizes seguras para a autossuperação, para a construção do mundo melhor para todos, após haver-se conquistado a si mesmo.

Obsessões generalizadas

Ao lado dos conflitos humanos encontra-se uma psicopatologia das mais graves, nem sempre considerada pelas doutrinas encarregadas da área da saúde.

Porque não existe a morte, no sentido de extermínio da vida, aqueles que desencarnam apenas mudam de campo vibratório por onde passam a transitar.

O mundo físico não é o real, o único, antes é uma condensação do mundo energético, primitivo, espiritual.

O abandono das vestes carnais pelo fenômeno da morte orgânica devolve o espírito ao campo vibratório de onde se originou, sem o consumir quanto gostariam muitos descuidados.

Normalmente assevera-se que existem dois mundos, na Terra como noutros lugares: o material e o espiritual. Em uma visão realmente lógica, somente existe uma realidade, que se apresenta sob dois aspectos: a que se condensa em organização material e a que lhe é precedente. Desse modo, as duas expressões confundem-se num intercâmbio vibratório perfeitamente compreensível, sofrendo os efeitos uma da outra.

Considerando-se que a lei das afinidades ou de sintonia vibra em todo o Universo, o seu vigor une os Espíritos no seu processo de desenvolvimento dos recursos evolutivos, em qualquer lugar que se encontre.

Cada qual elege as companhias de acordo com o comportamento mental, moral e espiritual, mantendo convivência saudável ou enfermiça, conforme os conteúdos vibratórios dos seus companheiros. Em consequência, ninguém, que permaneça na Terra a sós, *visto que temos ao redor de nós tão grande número de testemunhas* que vigiam, conforme anotações do apóstolo Paulo, na sua Epístola aos hebreus, cap. 12, vers. 1.

Essas *testemunhas* são os desencarnados que cercam os viajantes humanos na sua trajetória de crescimento moral e que interferem amiúde nos seus pensamentos, palavras e atos, conforme o nobre codificador do Espiritismo teve ocasião de informar-se através dos mentores da Doutrina Espírita.

Como o processo de evolução é todo feito de valores éticos superiores, as ações menos dignas constituem carga pesada a ser liberada durante a jornada espiritual.

Os males praticados contra o próximo, infelizmente contra si mesmos, acarretam animosidades e desaires que se transformam em processos de perturbação, de graves efeitos para aqueles que os praticam.

As obsessões, portanto, são o resultado da má conduta vivenciada, do perdão não cedido por aqueles que foram transformados em vítimas da irresponsabilidade e da prepotência dos insensatos, gerando lamentáveis transtornos, que assolam a comunidade terrestre.

Noutras vezes, por inveja ou sentimentos contraditórios, os espíritos maus, ainda afeiçoados aos sentimentos negativos, comprazem-se em magoar ou anatematizar as criaturas humanas, dificultando-lhes a ascensão. Tal ocorrência tem lugar, porque encontram ressonância vibratória naqueles que se tornam manipulados pelas suas mentes perturbadoras.

Ninguém na Terra que lhes não haja padecido a injunção penosa. Mesmo a Jesus tentaram, não poucas vezes, criar embaraços, sendo repelidos pela austeridade e grandeza moral do Mestre que se lhes tornou o Guia, mesmo que a seu contragosto...

Neste momento de turbulência terrestre, multiplicam-se as obsessões como verdadeira pandemia.

Rara a pessoa que não esteja vigiada, sondada, atingida pelas ondas mentais contraditórias e insanas dos Espíritos sofredores e obsessores que se demoram na erraticidade, aguardando o momento da reencarnação ou da transferência para outra dimensão em planeta inferior, de acordo com o seu comportamento.

Aumentando gradativamente como resultado da intemperança do ser humano, que prefere a ilusão e a mentira, o prazer imediato, mesmo que a custo do sofrimento de outrem, abrem-se as *brechas mentais* para a instalação dos transtornos obsessivos que se multiplicam, ampliando a faixa dos conflitos existenciais e dificultando a diagnose dos fenômenos psíquicos de desequilíbrio.

Uma observação, mesmo que perfunctória, do comportamento social, dos interesses humanos, dos jogos das ambições, dos crimes hediondos e das condutas estranhas das criaturas, basta para confirmar o desequilíbrio que grassa em crescente nas comunidades.

Os crimes hediondos, particulares e seriais, demonstram essa dominação espiritual cruel, vitimando aqueles que sintonizam com os seus desvarios.

A vampirização das energias, dando lugar a enfermidades de diagnóstico de maior complexidade, a sede insaciável de buscar coisa nenhuma, caracterizam fenômenos obsessivos lamentáveis.

Ao tempo de Jesus, obsessões coletivas tomaram conta de Israel, provocando o Senhor e apresentando a grande chaga moral da sociedade decadente e ambiciosa.

Periodicamente, no curso da História, cidades inteiras foram tomadas pelos Espíritos perturbadores, ficando dominadas pelas suas injunções maléficas.

Repetem-se na atualidade aqueles dias desafiadores, num grande confronto com as aquisições intelectuais e tecnológicas, irrompendo em toda parte com vigor e dominando as mentes e os sentimentos que se desarticulam, dando lugar às aberrações e loucuras de todo porte.

A obsessão espiritual é um transtorno, ora sutil, ora ostensivo, que se instala de um para outro momento, lentamente, ou mediante *surtos*, tomando posse dos sentimentos e tendências das criaturas, desvairando-as.

Quando se esperava que o novo século oferecesse paz e renovação espiritual, constata-se que a morbidez e o desencanto são-lhe as chagas expostas com mais volume do que a bondade e o amor.

Na alucinação resultante da busca incessante do prazer, os seres humanos vêm se olvidando dos deveres, pensando somente no gozo sem limite, em largos passos para a consumpção das energias, da saúde e dos objetivos elevados a que se vinculam.

Confundem-se, então, os transtornos psicológicos com os obsessivos, sendo a linha divisória entre um e outro muito diáfana, o que perturba os estudiosos do tema, especialmente aqueles que se dedicam ao ministério terapêutico próprio.

Felizmente o Espiritismo chegou no momento anunciado pelo Mestre para repetir-Lhe as lições, para trazer informações novas e esclarecer as ocorrências espirituais que se demoravam ignoradas, ampliando o elenco do conhecimento em torno da vida além da vida.

Nesse terrível contubérnio enfermiço grave, pode-se dispor dos ensinamentos espíritas para operar a transformação da sociedade para melhor, iniciando-se pela recuperação do indivíduo, a fim de alcançar-se todo o grupo no qual se encontra.

Os recursos são os mesmos oferecidos pelo Psicoterapeuta Jesus, que propõe a modificação da conduta mental, e naturalmente comportamental, utilizando-se dos valores defluentes do amor para sanar as dívidas do passado ou recuperar-se dos desequilíbrios do presente, trabalhando os *metais* do espírito viciado, e amoldando-o ao bem mediante as ações seguras da solidariedade, da benevolência, apoiado na oração ungida de confiança em Deus e na correspondente entrega dos sentimentos à caridade.

Hospital de almas, os Centros Espíritas, mediante as reuniões mediúnicas de desobsessão, desempenham, nesta hora, um papel relevante na recomposição moral da sociedade, orientando e elucidando os inimigos desencarnados que laboram contra o progresso, ao mesmo tempo demonstrando-lhes a inutilidade das suas condutas, porque a fatalidade da vida é a conquista da plenitude, e nenhuma das ovelhas que Deus confiou a Jesus se perderá...

Precatem-se todos aqueles que se encontram na luta redentora, contra as influenciações negativas dos Espíritos ociosos e maus, insistindo nos propósitos edificantes a que se dedicam, trabalhando-se intimamente em busca da autoiluminação, não olvidando o bem que podem oferecer ao seu próximo, tornando o mundo atual melhor do que se encontra.

Rugindo a tempestade, instala-se o medo, mas depois chegará a bonança do amor para reunir todas as criaturas num só rebanho...

O amor de Deus, por isso mesmo, paira soberano acima de todas as coisas, e a barca terrestre navega sob o comando sublime do Grande Nauta Jesus, experimentando as refregas provocadas pelas próprias criaturas, mas destinada ao porto da paz e da felicidade.

16
Ciladas espirituais

Poderosa e sempre presente nos relacionamentos humanos, a *Lei de Sintonia* responde pelos acontecimentos de toda ordem na economia moral e social do planeta terrestre.

As afinidades propiciam o intercâmbio dos sentimentos, facilitando a harmonia que proporciona mesclarem-se as vibrações do mesmo teor, fortalecendo-as e ampliando-as.

Em razão disso, as ocorrências psíquicas e físicas, não raro, resultam das causas anteriores que as promoveram.

Cada ação dá lugar a uma reação equivalente, e, quando não se encontra no presente aquele fator desencadeante, ei-lo que se encontra no passado.

O ser humano atual procede de anteriores reencarnações, nas quais a conduta estabeleceu contatos positivos com perturbadores que ressurgem vinculados pela lei de sintonia em afinidades que ressumam, voltando a vincular aqueles que se encontram na mesma faixa vibratória.

Normalmente, adversários que se não modificaram com a morte, pessoas inamistosas que não alteraram o comportamento ao desencarnarem, reencontram aqueles que os prejudicaram, predispondo-se a infelicitá-los por meio de desforços injustificáveis e cruéis.

Quando ignorantes ou brutalizados investem, violentos, em atitudes vigorosas quão precipitadas, agredindo os seus antigos cômpares que se lhes transformaram em algozes. Fruindo a alegria da vingança, alucinam-se e, furibundos, buscam desequilibrá-los, levando-os aos sofrimentos e à desesperação.

A dívida irradia vibrações que são captadas pelo cobrador, porquanto, onde se encontre o fraudador, o criminoso, a sua *consciência de culpa,* mesmo indiretamente, emite ondas que sincronizam com aqueles a quem enganou...

Nesse comenos surgem algumas obsessões constrangedoras, porém quase sempre de breve duração.

Em se tratando de espíritos lúcidos, que permanecem presos aos sentimentos inferiores, a técnica de cobrança é diversa, repousando na urdidura de hábeis desforços, largamente elaborados, portanto, com efeitos danosos de volumoso porte.

Reencontrando os desafetos, acompanham-nos, estudam-lhes a conduta e os hábitos até identificarem os seus pontos vulneráveis, suas tendências negativas, suas paixões e interesses inferiores, passando a estimulá-los, porque são do agrado de quem os cultiva.

Açodados nesses apetites, dão-lhes espaço e encorajamento para o gozo, até tombarem nas malhas dos excessos, dos desgastes, das complicações, para cujos resultados não atentaram.

Deixaram-se seduzir pela ilusão de que tudo lhes era lícito e permitido, mesmo que a prejuízo de outras pessoas, por isso desconsertam-se e passam a sofrer.

Outras vezes, essas mentes livres, ora desvestidas do escafandro carnal, formulam planos e preparam armadilhas para o futuro, aguardando os danosos resultados que lhes facultarão assenhorearem-se dos incautos, que com eles sintonizam vivenciando a mesma hediondez e prevaricação.

Conduzem pessoas permissivas para a convivência com os seus desafetos, estimulando-os à comunhão perniciosa quanto promíscua, que termina em cenas escabrosas, assinaladas por escândalos calamitosos e irreversíveis.

Ensejam oportunidades invejáveis, que promovem e ajudam por inspiração, adormecendo os valores éticos ou intoxicando-os nos seus devaneios, que exorbitam das funções e as desmerecem, despertando comprometidos e envergonhados.

Facilitam encontros ricos de encantamentos com indivíduos desprovidos de caráter, com os quais privam por algum tempo, sendo depois por eles chantageados, explorados, desmoralizados...

Fascinam por hipnose para prazeres fugazes, sabendo dos estipêndios altos que serão cobrados àqueles que lhes tombam nas trampas soezes.

Inspiram satisfações de uma hora, para a colheita de lágrimas acerbas por longo tempo.

Desviam a óptica dos descuidados, que passam a identificar o que lhes é agradável, embora os perigos nos quais repousa o gozo.

Enlanguescem uns e põem a arder outros, através de bem aplicadas expressivas doses de fluidos, que manejam com habilidade, passando a comandar-lhes a usina mental e a organização física, por meio de estímulos, terminando por comprometer aqueles que lhes cedem os espaços e alegrando-se, quando os veem em desdita e desequilíbrio.

Tais ocorrências e sucessos, porém, são consequência da sintonia que vige entre uns e outros, vítimas e perseguidores.

Essas ciladas espirituais são muito frequentes e é necessário que as mulheres e os homens da Terra, apesar de endividados, despertem para a própria realidade e resguardem-se nos bons pensamentos, na oração, nas ações edificantes, que lhes constituirão recurso superior para sintonizarem com as correntes elevadas da vida, pondo-os a salvo dos conúbios infelizes e das obsessões danosas de longo porte.

Ninguém reencarna para sofrer, para ser infeliz.

A reencarnação tem por meta primacial desenvolver os valores íntimos que dormem no ser ou ampliá-los, exercitando-os nos caminhos da evolução.

As Leis Soberanas estabelecem a reparação do erro, não a punição do equivocado, porque em tudo e em todo lugar o amor de Deus tem prevalência, e todo o bem, toda ação meritória que alguém pratica, diminui-lhe o débito, ajuda-o a recuperar-se perante a Consciência Cósmica e socorre aquele a quem haja prejudicado.

A *Lei de Sintonia,* desse modo, une os que são afins, propondo elevação para melhor e maior identificação com Jesus e o Pai.

Obsessões gerais

A história da humanidade anota a incidência periódica de epidemias devastadoras que, no passado, dizimaram multidões indefesas, desequilibrando a economia social e política de muitas nações. Entre essas calamidades, periodicamente surgiram e se desenvolveram distúrbios outros que, sob denominações variadas – infestações, possessões, convulsões, dominações demoníacas – tornaram-se tormentos espirituais que catalogamos como obsessões coletivas.

À semelhança das hordas bárbaras que invadiram muitos países, no pretérito, disseminando o terror e o crime, ampliando os óbitos, a viuvez e a orfandade, igualmente dominaram mentes em processos de intercâmbio mediúnico lamentáveis quão destruidores...

Loucuras que irromperam de inopino em grupos sociais, religiosos e políticos, tomaram conta de massas infrenes que se faziam conduzir por Espíritos inferiores em provações dolorosas de curso demorado.

Enquanto as epidemias têm sido diminuídas e algumas extinguidas em muitos povos, graças às conquistas das ciências e da tecnologia médica, as obsessões coletivas prosseguem submetendo mentes e corações humanos que se deixam arrastar em contaminações incessantes.

Muitas vezes considerados como ônus que a sociedade paga ao progresso – guerras, decadência ético-moral, perversão social e política, alienações – ainda não receberam conveniente análise e combate dos organismos da saúde mental ou das entidades encarregadas do equilíbrio social.

A obsessão é mal que avassala as vidas na Terra, em razão da própria inferioridade do Planeta, considerando-se os espíritos ainda primitivos que o habitam.

Porque, nesses seres, ainda predominam as paixões primárias decorrentes dos instintos inferiores, neles não luz o amor, que seria para o seu estado de evolução a terapia preventiva possuidora do recurso próprio para preservá-los dos sentimentos perversos em que se entorpecem.

Decorrendo da falta desse elã divino, o perdão não lhes ilumina as paisagens íntimas, nas quais as suspeitas, os ressentimentos, os desejos de vingança se homiziam, quando se sentem contrariados, estabelecendo os vínculos de perturbação que atam uns aos outros, os devedores aos seus infelizes cobradores.

Nesse pandemônio de paixões instalam-se as matrizes dos futuros distúrbios, que se desdobram em crises de alienação mental e desorganização física.

Por uma questão de afinidade, reencarnam-se tais espíritos em grupos, formando núcleos variados e, dessa forma, sofrendo coletivamente os efeitos dos atos ignóbeis.

No início, apresentam-se como miasmas do exotismo, da aberração, das fixações mentais extravagantes que geram repulsa. Pela sua insistência e rápida adesão às mentes que se lhes identificam, fazem-se comuns, normais, e criam escolas de comportamento, passando a dirigir as massas que, excitadas, se lhes entregam sem resistência.

O surto perigoso espraia-se, deixando marcas profundas no comportamento psicológico e social da evolução humana.

Somente o conhecimento do Espiritismo propicia os esclarecimentos para a identificação dessa estranha virulência, ao tempo em que favorece com as terapêuticas para a sua erradicação.

Descuidado da sua realidade espiritual, o homem moderno, embora vinculado a determinadas confissões religiosas, da vida somente considera os prazeres transitórios que, apesar de cansá-lo, prosseguem como emulação para a continuidade da sua existência física, frustrando-o e amargurando-o, em cujo processo fica vulnerável à *afecção espiritual*.

Uma cuidadosa reflexão bastaria para distinguir-se entre um comportamento saudável e outro alienado, entre um psicopatológico e outro de natureza obsessiva. Assim mesmo, identificada a incidência do distúrbio espiritual predominante, faz-se necessária a atitude curativa, que se encontra nas estruturas do pensamento cristão, cujos fundamentos são de ordem moral, tais a conduta digna centrada no "amor-respeito" a Deus, ao próximo e a si mesmo.

Esses são dias muito atribulados no contexto humano, nos quais as obsessões coletivas se impõem a grupos de vários matizes, cuja conduta agressiva ameaça os alicerces sociais das relações humanas.

Caso a criatura prossiga negando-se à mudança de comportamento para melhor, passando a abraçar as lições de Jesus-Cristo e vivendo-as, as soberanas leis se encarregarão de alterar-lhe as paisagens espirituais, utilizando-se do recurso compulsório da reencarnação, direcionando para mundos primitivos aqueles que lhes são afins e interrompendo o ciclo histórico das obsessões, a fim de que o amor inunde as vidas e irmane as criaturas, enquanto, na Terra, se instalam os alicerces para a construção do mundo de regeneração.

Quando, em qualquer grupo – social, religioso, político, cultural, artístico, científico, filosófico – predominarem o egoísmo, a prepotência, a intolerância, as exigências descabidas, o descaso pelo progresso, possivelmente os seus membros, além das suas dificuldades de evolução, encontram-se sob os camartelos psíquicos das obsessões coletivas, que objetivam obstaculizar a marcha do progresso e perturbar a ordem nas instituições nobres nas quais se movimentam, necessitando de urgente mudança de direcionamento mental para que sejam logradas as ações fraternais de união, de entendimento e de amor entre todos.

Obsessões sutis

A inobservância dos severos códigos ético-morais da vida responde pela delinquência nos seus mais variados aspectos.

Não nos referimos somente aos delitos de grande porte, geradores de dramas profundos e de consequências imprevisíveis quão demoradas.

Pequenos deslizes morais, desrespeito ao equilíbrio social e familiar, atentados ao dever, ao pudor e à ordem, dissimulações da indignidade pessoal, *pecadinhos* da sociedade, ebriedade, tabagismo, calúnia, inveja, todo o séquito pernicioso do ego famigerado, são atitudes delituosas que abrem brechas para as obsessões sutis.

Atraídos às pessoas invigilantes pela irradiação psíquica, vibração essa carregada de energia específica, os espíritos malévolos, ignorantes e perversos sintonizam em regime de dependência recíproca com o novo parceiro, dando curso aos estados de alienação espiritual.

Não raro, os portadores do distúrbio são vistos como indivíduos de boa índole, de atitudes e hábitos morigerados, o que parece contrariar a tese da gênese desequilibradora.

Ninguém pode avaliar realmente o que significa e representa a vida íntima do próximo. Somente uma visão espiritual capaz de captar a exteriorização das ondas mentais e morais possui recursos para avaliação do comportamento interior de cada ser.

Não apenas a conduta externa caracteriza-o, mas também, e principalmente, o cultivo dos seus interesses e a vitalização das paisagens interiores são o que define o ser real. É nesse campo que se exterioriza através do perispírito, pois neste ocorrem as vinculações nas quais os *plugues* se fixam nas *tomadas*, estabelecendo-se a corrente alienadora.

Hábitos incorretos, gestos viciosos, comportamentos insanos são estimulados pelos agentes desencarnados, desbordando em síndromes obsessivas que avançam para estados mais graves na conduta mental e pessoal.

Generalizam-se, desse modo, as obsessões sutis, à semelhança de transtornos somatomorfos de natureza neurótica, com os quais o indivíduo se acostuma por acreditar que as perturbações sejam naturais e de pequena monta.

Lentamente agrava-se a alienação, qual se fosse uma raiz delicada que, na frincha da rocha, fixando-se e vitalizando-se, enrijece-se, fendendo a pedra e tornando-se difícil de ser arrancada, sem que sucedam maiores danos ao núcleo onde se implantou...

Indispensável vigiar-se a conduta mental, os hábitos morais, cerceando-se as possibilidades de sintonia com aqueles de descargas espirituais negativas, passo primeiro para a ocorrência obsessiva.

Estudando esse terrível flagelo, o eminente codificador do Espiritismo classificou-o como *obsessão simples*, pelas características iniciais e afligentes de menor gravidade, passo, porém, decisivo, para os outros avançados distúrbios psíquicos.

Confundindo-se com a personalidade do paciente, na qual parece predominar, é *erva daninha* que terminará por matar a seiva de que se nutre, sobrepondo-se ao *hospedeiro* e destruindo-o em lenta e contínua asfixia...

As obsessões sutis devem ser combatidas desde as suas primeiras manifestações pelo paciente ainda lúcido, que se deve impor alteração da conduta para outra mais saudável, controle consciente do comportamento, recriando o clima mental e os hábitos corretos, propiciadores da saúde.

Concomitantemente, as ações de beneficência, os labores em favor da autoiluminação completam a terapia valiosa, ensejando a harmonia e a libertação do obsidiado, por sua vez, também, o esclarecimento do *Espírito parasita* que recomeçará a jornada tendo em vista a necessidade de paz e de progresso.

As obsessões sutis são grave epidemia que domina o organismo social carente de equilíbrio e de Deus.

Obsessões simples

Na psicogênese das obsessões, encontra-se como fator preponderante ao seu desencadeamento a imperfeição moral do paciente. Essa característica de inferioridade é a responsável pelo ontem espiritual propiciador da injunção dolorosa que engendrou a animosidade do Espírito vingador, que se acerca do seu algoz para o desforço, utilizando-se do processo perverso da obsessão.

A insensatez em que se compraz a criatura que não trepida em sobrepor o seu ao interesse dos outros, buscando o triunfo e o poder a qualquer preço, consegue ferir e malsinar vidas que ficam estioladas na retaguarda, esperando oportunidade para recuperação.

Em face desses espíritos se fazerem portadores de equivalentes mazelas morais, despertam para a realidade no além-túmulo e, ao invés de se apoiarem no perdão e na misericórdia para com aquele que os infelicitou, fazem ressumar o rancor que transformam em ódio, e atiram-se em desarrazoadas batalhas de cobranças, enlouquecidos, fazendo enlouquecer...

Desalojados das áreas da razão e do discernimento, tomam a clava da justiça nas mãos e, alucinados, olvidam as Soberanas Leis, tornando-se cobradores impiedosos, quando poderiam transformar-se em irmãos necessitados de auxílio e de orientação.

Por tal razão, pulula na sociedade humana a obsessão.

Sutil, muitas vezes espalha-se como epidemia gripal que se expande, contaminando o maior número de vítimas, cujas baixas defesas facultam-lhes o contágio...

De outras vezes, em forma de assalto psíquico que desorienta, assenhoreia-se das usinas mental e emocional no seu próximo, nas quais se instala, produzindo distonias profundas.

No campo da mediunidade, porque o sensitivo possui especial predisposição para o fenômeno da comunicação, a obsessão se enraíza de maneira simples, a princípio, para tornar-se mais grave à medida que tomba nas malhas da urdidura mental do adversário, aquele que se encontra comprometido moralmente.

Não apenas com caráter de cobrança arbitrária, a obsessão surge, mas também provocada por espíritos ociosos e trêfegos que se comprazem no intercâmbio inferior.

Na fase inicial da educação mediúnica, o fenômeno da obsessão simples, como é natural, tem maior e mais ampla vigência, em face da ignorância do médium sem os recursos do equilíbrio e do conhecimento, ainda incapaz de discernir e selecionar as influências espirituais de que se vê objeto.

Caracteriza-se, porém, essa psicopatologia, pela insistência do espírito em comunicar-se, pela predominância da sua sobre a vontade do medianeiro, em razão da interferência pertinaz nos seus pensamentos e conduta...

De outra forma, quando não se trata de portador de faculdade ostensiva, a obsessão simples expressa-se com síndromes que podem confundi-la com os conhecidos transtornos neuróticos e alguns psicóticos, portanto, mais profundos.

Sistematicamente, surgem os desequilíbrios de humor, que se acentuam em manifestações fóbicas, distímicas, empurrando as vítimas para as depressões, em determinados casos, e noutros açulando-lhes a rebeldia, a violência, a agressividade, as paixões servis...

Sem qualquer desconsideração pelos estudos dos distúrbios psicológicos e psiquiátricos acadêmicos, mesmo nesses encontraremos sempre o espírito encarnado que é enfermo, e, graças aos seus compromissos negativos em sintonia com aqueles aos quais prejudicou.

O intercâmbio nefasto entre os espíritos inferiores e as criaturas humanas é vivaz e volumoso, constituindo esse mecanismo um recurso de nutrição psíquica para uma verdadeira legião de desencarnados viciosos.

Não obstante, avançam em volúpia os seres humanos em correria desesperada para os fossos sombrios das obsessões de longo curso, em razão de não cuidarem dos primeiros sintomas.

Estimulações insistentes por todo lado induzem ao comércio do prazer sensorial, sem nenhuma compensação espiritual.

Os deveres relevantes do ser perante a vida são deslocados para o olvido, acreditando-se, falsamente, na perpetuidade do corpo, na sua resistência e vitalidade sem fim para o banquete incessante do gozo frustrante.

A vida é perene, seja no corpo ou fora dele, expressando-se mediante o código inalienável de valores que devem ser levados em consideração.

A alegria, o gozo, a esperança, a felicidade fazem parte da existência física, assim como o sofrimento, o desgaste, a carência, a transformação dos componentes orgânicos.

Compreender a transitoriedade do carro celular é conquista da consciência que discerne sobre a finalidade do ser existencial, preparando-se para a realidade espiritual.

Embora o intercâmbio obsessivo demonstre a imortalidade do espírito, muitos daqueles que experimentam a sua constrição simples fogem às reflexões em torno da palpitante questão, a fim de permanecerem buscando o prazer em que consomem as energias.

Predominando na estatística das psicopatologias, a obsessão simples é pandêmica, a grassar sem impedimento.

Embora o quadro desolador, o seu tratamento é igualmente simples e depende particularmente do enfermo, que se deve conscientizar da *parasitose*, trabalhando-se moralmente e agindo com inteireza, de forma que se reabilite do mal praticado e contribua em favor daquele que lhe padeceu a inferioridade, ou engrandeça-se pela solidariedade em relação ao seu próximo, tornando-se elemento útil no contexto social.

A vinculação emocional com Deus dar-lhe-á serenidade e satisfação existencial, desvinculando-o das faixas inferiores por onde transita emocionalmente, assim libertando-se da conjuntura aflitiva que lhe é imposta ao corpo, à emoção ou à mente.

Ao mesmo tempo, a educação mediúnica através do estudo sério da Doutrina Espírita e da própria faculdade, assumindo a grave responsabilidade de cooperar com o progresso moral da Terra, por meio do auxílio aos desencarnados em sofrimento, abre as portas à recomposição da saúde.

São terapias de urgência e de longo curso, porquanto, mesmo nas psicopatologias identificadas pelas ciências acadêmicas, têm lugar o esforço e a renovação moral do paciente, o serviço de dedicação ao próximo, a recuperação da alegria de viver, a fim de que, igualmente beneficiando-se pelos valiosos recursos da fluidoterapia, a que se devem submeter todos os obsessos, recomponha os campos vibratórios afetados e a enfermidade tratada cuidadosamente libere o perseguidor das amarras pelas quais se imanta ao enfermo.

A obsessão simples é fenômeno corriqueiro, que a prece, o esclarecimento espiritual – desobsessão sem a presença do paciente – a bioenergia, a atividade no bem com facilidade conseguem diluir.

Jesus, o Psicoterapeuta por excelência, diante das multidões aturdidas e presas fáceis de obsessões simples e periódicas, apresentou a terapia preventiva de forma enérgica e conclusiva, propondo:

"*Vigiai e orai, a fim de não tombardes na tentação*", isto é, em defecção moral.

Obsessão infantil

Dentre as graves perturbações de origem espiritual, a que afeta a infância apresenta-se mais constrangedora e terrivelmente dolorosa.

A infância é período de recomeço que inspira ternura, ao tempo que desperta o desejo de proteção em natural defesa da sua fragilidade.

A criança, na sua atual inexperiência, proporciona alegria, ressumando encantamento e bem-estar.

Jesus tomou-a como modelo de pureza, de inocência, referindo-se, naturalmente, ao sono momentâneo que experimenta o espírito sob o anestésico da reencarnação.

Sob esse ponto de vista, trata-se de um ser com múltiplas realizações em outras investiduras carnais, que retorna para recomeçar, reparar, aprender, conquistar a vida.

Como consequência, os atos reprocháveis e indignos, os dramas gerados e os crimes praticados, os valores de enobrecimento, as aquisições relevantes prosseguem pesando na economia evolutiva do espírito em processo de crescimento, que reinicia o curso que a morte interrompeu anteriormente, mantendo, porém, a carga desses compromissos positivos e negativos.

Adormecida a memória na névoa carnal, não se dissipou a responsabilidade dos erros que atraem magneticamente aqueles espíritos que lhe padeceram as diatribes e as injunções desrespeitosas. Igualmente equivocados, permanecendo na erraticidade inferior, mantêm os desditosos propósitos do desforço, da cobrança tormentosa, envergando a indumentária moral de verdugos que se comprazem em impor as suas tenazes de perversidade, dando prosseguimento às obsessões.

Na infância, porque destituídos das autodefesas que a prece e a vigilância, as boas ações e o arrependimento propiciam, permanece, no entanto, o apoio dos Benfeitores e Guias espirituais que se submetem às Leis de Causa e Efeito, acompanhando os processos reparadores e interferindo somente quando as circunstâncias assim o permitirem.

De início, esses adversários desencarnados acompanham a criança e se apresentam espiritualmente no momento do parcial desprendimento pelo sono, fazendo-a recordar os crimes, ante o que recua para o corpo sob pesadelos terríveis, aos gritos e tremores, que irão instalando as fixações doentias através das quais as futuras agressões se tornam obsessões cruéis.

Embora o cérebro infantil não registre os fatos evocados espírito a espírito, distúrbios nervosos se instalam, abalando os equipamentos delicados da usina mental, favorecendo o campo a fim de que se instalem processos de alucinação, de vampirismo, de subjugação...

Nesse período, ocorrem as incorporações que, além de danosas ao psiquismo infantil, também abalam a estrutura orgânica, facultando campo à instalação de diversas enfermidades.

A criança obsidiada apresenta comportamento doentio, incontrolável, variando desde os estados depressivos e de inapetência aos de agressividade e violência, mordendo, golpeando, arrebentando tudo e tentando autodestruir-se.

A sanha do adversário, ao invés de ser aplacada ante o sofrimento do seu antigo inimigo, mais aumenta, sentindo-se dominador na situação vexatória.

É evidente que os pais e demais familiares que padecem da injunção aflitiva estão incursos na problemática que ora defrontam nos seus efeitos, convidados à reparação pessoal e ao socorro daquele que se encontra em maior envolvimento, portanto, com a dívida mais pesada.

Faz-se necessária a paciência evangélica, revestida de amor para com ambos os litigantes, orando-se pelo perseguidor, assim como pelo perseguido e envolvendo-os em ondas de ternura, que impedem as vibrações viciosas que danificam o equilíbrio do paciente.

Por outro lado, os novos algozes tentam esgotar as energias daqueles que protegem as suas vítimas, irritando-os, provocando reações inesperadas e grosseiras em relação ao enfermo da alma, de modo a desanimá-los.

Nesse quadro tormentoso de obsessão, a bioenergia desempenha uma função terapêutica relevante, por envolver o doente em vibrações de bem-estar, de harmonia, que impedem as descargas magnéticas perniciosas de os alcançar.

A constância que o amor oferece e a confiança em Deus geram uma psicosfera protetora, diluindo as correntes vibratórias destrutivas e, por fim, alcançando os antagonistas espirituais que terminam rendendo-se à compaixão e à misericórdia.

Concomitantemente, o diálogo com os perseguidores, nas reuniões especializadas, proporciona-lhes esclarecimentos libertadores e contribuição valiosa para que recobrem a paz que lhes faz falta.

Diante da criança enferma, apresentando variadas patologias, deve-se pensar na *Lei de Retorno*, sem dúvida, que nela imprime os quesitos genéticos propiciadores da reparação dos erros cometidos, mas também a presença dos espíritos em dificuldades morais, insistindo nos propósitos de darem curso às obsessões de longo prazo e de consequências imprevisíveis.

Vigilância e amor, disciplina e bondade devem constituir, entre outras diretrizes de convivência com a infância, as melhores terapêuticas de socorro espiritual e moral.

Como a função do renascimento carnal não é o de sofrimento, mas de educação e de renovação moral, todos aqueles que se encontram endividados perante os Divinos Códigos recebem equipamentos espirituais para a reparação e a autoiluminação.

Fascinação obsessiva

O narcisismo é desvio de comportamento que perturba o ser humano colhido pelos conflitos que não consegue diluir. Também pode ser resultado de alguma frustração que induz o paciente ao retorno do período infantil.

Autoapaixonando-se, o narcisista se atribui valores e direitos que a outrem não concede, tornando-se o epicentro dos próprios e dos interesses gerais.

À medida que se lhe agrava o distúrbio, aliena-se do convívio social saudável, acreditando que não tem muito a lucrar com a atenção e os cuidados que poderia direcionar a outras pessoas.

Esse comportamento às vezes é sutil, agravando-se à medida que se lhe fixam no imo a presunção, a ausência de autocrítica, embora a severidade com que analisa a conduta alheia, utilizando-se de palavras ásperas e julgamento severo, como transferência daquilo de que, inconscientemente, se faz merecedor.

Ao tomar essa atitude, libera a *consciência de culpa* e mais se enclausura na torre de marfim da prosápia em que se estabelece.

Essa insegurança psicológica, que se converte em autoafirmação exibicionista, conspira contra a sua saúde mental.

Em razão dessa deficiência emocional, quando portador de mediunidade atrai espíritos zombeteiros que o inspiram ao ridículo da situação, comprazendo-se os mesmos em afligi-los, sem que se dê conta da gravidade da psicopatologia obsessiva em que tomba.

Não se apercebendo da *parasitose* que se lhe instala, passa a acreditar quase que exclusivamente nas comunicações de que se faz instrumento, competindo com qualquer outro que, aparentemente, lhe ameace a projeção.

Mantém boa moral, é conservador e exigente na conduta, porém, a *tomada* na qual se encontra o *plugue* obsessivo encontra-se no egoísmo e no temperamento especial, que lhe constituem os grandes desafios a vencer durante a conjuntura reencarnacionista.

Na ordem direta que se destaca, ensoberbece-se mais, deixando de considerar as advertências que lhe chegam, por supor-se inatacável, distanciado da humildade que impõe a autorreflexão, responsável doutrinariamente pela proposta de *tomar para si as comunicações dos espíritos, antes que para os outros.*

Imbuído da ideia de que é irreprochável o seu comportamento, passa a supor-se merecedor do contato com os espíritos elevados e não analisa as comunicações que lhes são atribuídas, cujo conteúdo não vai além do trivial, do destituído de profundidade. São, invariavelmente, repetitivas, exaradas em chavões convencionais, às vezes pomposos, mas irrelevantes.

A obsessão por fascinação é um capítulo muito perturbador do labor mediúnico.

Toda a trilha da vivência mediúnica é inçada de cardos e de perigos, impondo um trânsito cuidadoso, porque se trata de intercâmbio constante com seres inteligentes que também se domiciliaram na Terra, continuando a manter as virtudes e os vícios que lhes eram habituais.

Vigilantes e contumazes, os espíritos ociosos e perversos rondam os médiuns com implacável insistência, aguardando oportunidade para os afligir, para interditar-lhes as mensagens, para entorpecer-lhes a faculdade...

A obsessão, em si mesma, é terrível flagelo que se manifesta epidêmico periodicamente, mas que nunca esteve fora da convivência humana.

Em torno da mediunidade, particularmente, movimentam-se os espíritos infelizes, quais mariposas em volta de uma chama...

Aqueles que são elevados sintonizam a distância, quando as circunstâncias o propiciam, enquanto que os desocupados permanecem com afã, esperando fruir benefícios mórbidos, como a absorção das energias do médium, a intromissão nas atividades humanas, gerando a perturbação em que se comprazem...

A terapia para a recuperação desse tormento se inicia na vigilância do médium, vivenciando a humildade real e tendo a coragem de bloquear e interromper a interferência nefasta, cuidando de livrar-se do seu narcisismo, descendo do pódio da falsa superioridade que se credita para a planície das criaturas comuns e frágeis onde se deve situar.

Nenhum médium se encontra indene a esse transtorno obsessivo e ele é muito mais habitual e constante do que se pode imaginar.

Multiplicam-se na sociedade humana as pessoas autofascinadas, e entre os médiuns, muitos são aqueles que se apresentam com a ultrajante síndrome da obsessão por fascinação.

O Senhor dos Espíritos sempre que libertava os obsessos repreendia os seus algozes, admoestando-os e, ao mesmo tempo, lecionando às suas vítimas que Lhe seguissem as diretrizes, amando e servindo.

Ante obsessos de qualquer matiz, são necessários a paciência e a misericórdia, o esclarecimento e a perseverança, a fim de que tenham tempo para despertar e romper os elos que os aprisionam aos seres perturbadores.

Subjugação

Etapa grave no curso das obsessões, caracterizada pela perda do discernimento e da emoção, o estágio da subjugação representa o clímax do processo ultriz que o adversário desencarnado impõe à vítima, em torpe tentativa de aniquilar-lhe a existência física.

A perfeita afinidade moral entre aqueles que experimentam a pugna infeliz traduz o primarismo evolutivo em que desenvolvem os sentimentos, razão pela qual acoplam-se, perispírito a perispírito, impondo a vontade dominadora sobre quem lhe padece a ferocidade, por cujo doloroso meio lapida as arestas remanescentes dos crimes perpetrados anteriormente.

A subjugação é o predomínio da vontade do desencarnado sobre aquele que se lhe torna vítima, exaurindo-lhe as energias e destrambelhando-lhe os equipamentos da aparelhagem mental.

Noutras vezes, a irradiação mental perniciosa que lhe é descarregada com pertinácia alcança-lhe a sede dos movimentos ou o núcleo perispiritual das células, provocando desconsertos que se transformam em paralisias, paresias e distúrbios degenerativos outros de variada etiopatogenia.

O perseguidor enceguecido pelo ódio ou vitimado pelas paixões inferiores longamente acalentadas irradia forças morbíficas que o psiquismo daquele que lhe infligiu a amargura assimila por identidade vibratória e se tornam decodificadas no organismo, produzindo os objetivos anelados pelo obsessor.

Em ordem inversa, a onda de amor e de prece, de envolvimento caridoso e fraternal, termina por encontrar receptividade tão logo o paciente se deixe sensibilizar, transformando-a em harmonia e saúde, bem-estar e paz.

Todos os fenômenos ocorrem no campo das equivalentes sintonias, sem as quais são irrealizáveis.

Desse modo, a violência registrada nas agressões para a subjugação somente encontra ressonância por causa da afinidade entre aqueles que se encontram incursos no embate.

Normalmente o processo é lento e persuasivo, provocando danos que se prolongam no tempo, enquanto são minadas as forças defensivas para o tombo irrefragável nas malhas da pertinaz enfermidade espiritual.

O processo cruel da obsessão de qualquer matiz tem suas raízes sempre na conduta moral infeliz das criaturas, pelo cultivar da sua inferioridade, em contraposição aos apelos elevados da vida que rumará para a Suprema Vida.

Enquanto permaneçam os espíritos afeiçoados às heranças do estágio primitivo, mantendo o egotismo exacerbado, graças ao qual humilha e persegue, trai e escraviza, explora e infunde pavor ao seu irmão, permanecerá aberto o campo psíquico para as vinculações obsessivas.

Somente com uma radical transformação de conceito ético entre os homens terrestres é que eles disporão de recursos seguros para se prevenirem das obsessões.

No entanto, porque vicejem os propósitos inferiores em predomínio em a natureza humana, sucedem-se as complexas *parasitoses* obsessivas.

Agravada pela alucinação do perseguidor, a subjugação encarcera na mesma jaula aquele que a fomenta.

Emaranhando-se nos fulcros perispirituais do encarnado, termina por fixar-se-lhe emocionalmente, permanecendo presa da armadilha que urdiu.

A subjugação é perversa maquinação do ódio, da necessidade de desforço a que se escravizam os espíritos dementados pela falta de paz.

Cultivando os sentimentos primários e encerrando a mente nos objetivos da vingança, cerram-se na sombra da ignorância, perdendo o contato com a razão e a Divindade, enquanto não se permitem a felicidade que acusam de havê-los abandonado.

Ambos desditosos – o subjugado e o subjugador – engalfinham-se na peleja sem quartel, não se dando conta de que somente o amor consegue interrompê-la.

De tratamento muito delicado e complexo, o resultado ditoso depende da renovação espiritual do paciente, na razão em que desperta para a seriedade da conjuntura aflitiva em que se encontra. Simultaneamente, a solidariedade fraternal, envolvendo ambos os enfermos em orações e compaixão, esclarecimentos e estímulos para o futuro saudável, consegue romper o círculo vigoroso de energias destrutivas, abrindo espaço para a ação benéfica, o intercâmbio de esperança e de libertação.

A subjugação desaparecerá da Terra quando o verdadeiro sentimento da palavra amor for vivido e espraiado em todas as direções, conforme Jesus apresentou e vivenciou até o momento da morte, e prosseguindo desde a ressurreição gloriosa até os nossos dias.

17
Complexidade das obsessões

Quanto mais se estudem os transtornos obsessivos, mais fáceis se tornam o entendimento e a elucidação das complexidades de que se revestem, em razão das ressonâncias fisiológicas, psicológicas e mentais que lhes são defluentes.

Tendo-se em vista que o obsidiado é sempre um Espírito enfermo, que se encontra incurso em graves comprometimentos em relação às Soberanas Leis da Vida, as aflições que lhe são impostas por aqueles que o perseguem podem dar lugar a processos de lesões orgânicas, assim como de ocorrências psicossomáticas, sem a presença de danos físicos.

Toda vez quando se estudam as patologias obsessivas, logo ocorrem à mente aquelas de natureza psíquica, mais fáceis de manifestar-se em razão da ocorrência mais simples do fenômeno telepático entre o agente e o paciente. Nada obstante, em razão da plasticidade do perispírito, que assimila as vibrações das diferentes correntes de energia, a insistência da onda mental sobre a vítima atual termina por produzir equivalência de sintomas em relação ao agente desencarnado.

Por essa razão, aparecem os transtornos psicológicos de fácil assimilação, especialmente aqueles que tipificaram o agressor antes da sua desencarnação. Não necessariamente, serão decorrência de efeitos fisiológicos, que não se instalam rapidamente, mas efeito da perfeita identificação entre ambos os litigantes.

À medida que se prolonga a ação danosa, em contínuas cargas de energia deletéria, os complexos e delicados *tecidos da envoltura perispiritual* se desestruturam no campo em que se encontram, passando a dar lugar a dilacerações orgânicas ou abrindo espaço para a instalação de agentes microbianos degenerativos...

Surgem então as doenças reais, porém de gênese espiritual, que exigem cuidadosa terapia espírita e médica.

A ação perturbadora dos adversários desencarnados é muito persistente, porque esses espíritos comprazem-se em praticar o mal, revoltados uns por se encontrarem fora da matéria, outros por inveja, diversos mais por ignorância, e expressivo número pelo prazer de perturbar, conforme se encontram nesse estágio de miséria moral...

Quando as criaturas humanas se derem conta dos prejuízos que resultam do intercâmbio doentio com os infelizes espirituais, que estão sempre interferindo nos pensamentos, nas palavras e nos seus atos, vigiarão com mais cuidado antes de tomarem algumas decisões, precatando-se de ocorrências ignóbeis.

O campo psíquico sempre exposto em razão das ondas emitidas, normalmente de qualidade inferior, proporciona a sintonia dos desocupados espirituais que facilmente se sentem atraídos para o conúbio em que se acreditam beneficiar, seja pelas energias que haurem, na condição de *parasitas mentais,* que se fazem também emocionais e, com o tempo, tornando-se comparsas físicos em perfeita identificação de gostos e comportamentos.

Todas as ocorrências do dia a dia iniciam-se na mente, em forma de desejo e *necessidade* que se convertem em realização no mundo das formas... Para a execução desses anseios, quando doentios, os Espíritos infelizes contribuem de maneira expressiva, preservando as ideias que se tornam fixações até o momento em que ocorre o compromisso torpe nas ações escabrosas.

Propusesse-se o ser humano às construções psíquicas de enobrecimento e, da mesma forma, atrairiam equivalentes espirituais, que os impulsionariam à execução dos planos acalentados, conforme ocorre com todos os idealistas e trabalhadores do bem.

A sintonia é válida para todos os tipos de Espíritos, razão por que a proposta em favor da saúde integral se radica na transformação moral do ser para melhor, que faculta o convívio com os seus e os mentores da humanidade, sempre interessados na instalação da ordem, do progresso e da felicidade na Terra.

A trajetória das vítimas de obsessão é assinalada por sofrimentos complexos, que se expressam em forma de conflitos de vária ordem, destacando-se o de inferioridade que leva à solidão, à perda da afetividade, por considerar-se desamadas, revestindo-se de ressentimento contra as demais pessoas, que têm em conta de inimigos declarados ou não.

Concomitantemente, os *diálogos mentais* mantidos com os parceiros da morbidez emocional aumentam-lhes a desconfiança e mais as afasta de todos quantos podem ajudá-las, criando barreiras de difícil transposição.

À medida que o isolamento se lhes faz, a instalação do mal torna-se mais grave, dando lugar aos primeiros danos emocionais e orgânicos, que significam agravamento da situação.

Nesses processos obsessivos lamentáveis, a compaixão dos familiares ao lado da amizade real pelo enfermo constitui um primeiro passo para modificar a situação da *parasitose* espiritual, considerando-se que, nessa situação, normalmente o paciente escusa-se a aceitar qualquer tipo de ajuda, desde que tem a vontade sob o controle do *invasor* da sua *casa mental*.

Nas ocorrências dessa natureza, não apenas o paciente encontra-se enquadrado nos impositivos de recuperação moral, mas também todo o grupo familiar, desde que ninguém renasce neste ou naquele clã doméstico por circunstância casual.

Modificando-se a psicosfera do lar para melhor, no que diz respeito aos valores morais do grupo, tanto o enfermo como os seus algozes passam a experimentar vibrações edificantes que terminam por equilibrar o primeiro e afastar os outros, quando não os melhora igualmente, auxiliando-os no entendimento das Divinas Leis.

É nesse momento que a cooperação do endividado espiritual se torna indispensável, considerando-se ser ele o responsável pela ocorrência dolorosa.

O seu esforço, pois, é creditado como tentativa de reparação e de renovação interior, estabelecendo-se um melhor intercâmbio entre ele e os seus inimigos que, a pouco e pouco, reconhecendo-lhe a mudança de conduta, sentem-se sensibilizados, e quando isso não ocorre, os guias espirituais de ambos os envolvidos na contenda oferecem a sua contribuição libertadora, porque o mal não pode viger onde o bem coloca os seus pilotis.

A prece e os passes, bem como a doutrinação dos desencarnados, completam a terapia de libertação de todos, destrinçando as malhas delicadas e complexas desse terrível flagelo que é a obsessão, muito presente na sociedade de todos os tempos, e particularmente na atual, em razão dos disparates morais que se apresentam em toda parte.

✿

No imenso painel dos transtornos obsessivos, apresentam-se angulações difíceis de logo serem percebidas, em razão da sutileza com que se manifestam. Quase sempre desconhecidas de muitos estudiosos da mediunidade e das interferências perniciosas dos espíritos infelizes no comportamento humano, são comuns na erraticidade, onde a vida estua em todas as suas expressões de realidade.

São muito comentados os fenômenos obsessivos, nos quais o paciente encarnado experimenta a injunção danosa do seu adversário, que o submete à dominação lastimável, exaurindo-o e levando-o ao desvio comportamental ou mental.

São igualmente numerosos os casos em que as mentes atormentadas da Terra, angustiadas pela saudade ou dominadas por outros sentimentos, fixam-se em alguém desencarnado, iniciando-se um processo de perturbação que o angustia, em face das descargas doentias dos pensamentos que lhe são direcionados pelo deambulante na retaguarda física. Sucede que o sentimento – apaixonado, inamistoso ou revoltado – emite ondas desestruturadoras que atingem aquele a quem são direcionadas, dando lugar a transtorno obsessivo desencadeado pelo ser físico contra o espiritual...

A mente, onde quer que se manifeste, emite vibrações que são captadas, consciente ou inconscientemente, produzindo a inevitável sintonia que lhe corresponde ao teor vibratório.

Quando se trata de mensagens edificantes, ditadas pelo amor e pela amizade, pelos sentimentos de gratidão e de respeito, lenificam e estimulam, recarregam de forças e inspiração aquele que as recebe. Da mesma forma, as emissões de desgosto e de vingança, de ressentimento e de ciúme, de amargura e de ódio repercutem no âmago do destinatário, produzindo desgaste, irritação, distonias nervosas, especialmente por causa das suas *matrizes morais,* que permitem a sincronização, a captação das mesmas...

Pode-se, portanto, afirmar que existem obsessões de encarnados em relação aos desencarnados, afligindo-os e infelicitando-os até o momento em que a misericórdia divina providencia as soluções compatíveis.

Capítulo igualmente doloroso diz respeito aos graves fenômenos de perturbação provocada por uns desencarnados em relação a outros igualmente fora da indumentária material.

Ocorrendo a desencarnação de alguns espíritos endividados, que não lograram recuperar-se dos males que causaram durante a vilegiatura carnal, antes permaneceram vinculados aos seus adversários domiciliados no além-túmulo, são recebidos pelos seus verdugos logo a partir do momento em que ocorre o fenômeno *mortis,* dando prosseguimento à triste saga da enfermidade espiritual…

O intercâmbio nefasto apresenta-se, no entanto, mais complexo, especialmente quando espíritos técnicos em perturbação de outras mentes, fixados na perversidade e na loucura da prepotência, acreditam-se poderosos e capazes de gerir vidas, supondo-se portadores de poder para executar os planos hediondos em que se comprazem, tornando-se verdugos de outros desencarnados inexperientes e irresponsáveis, passando a obsidiá-los propositadamente.

É lamentável o espetáculo inditoso, quando essas *vítimas* permanecem mentalmente ergastuladas à vontade férrea dos seus algozes, vampirizadas, hebetadas, ignorando a ocorrência desditosa. Não se trata, com certeza, de inocentes espirituais que se tornaram vítimas da crueldade, embora a Divindade não necessite de recurso de tal monta a fim de auxiliar os calcetas na sua recuperação. Nada obstante, a alucinação que decorre do despautério desses perturbadores leva-os à posição de *braço da Justiça,* olvidando-se que a mesma educa e reeduca, liberta e conforta, sem utilizar os métodos violentos que a sua ignorância em relação às divinas leis engendra…

A obsessão produzida por um Espírito perverso sobre outro indigente e atormentado constitui terrível ocorrência na vida fora do corpo físico.

Em casos dessa natureza, a crueldade dos insanos perseguidores alcança o clímax quando os utilizam para fins ignóbeis, tornando-os instrumentos das suas maquinações contrárias à ordem e ao Bem, em ação psicopatológica tormentosa, induzindo-os ao molestamento de outras criaturas humanas ainda reencarnadas...

Em razão da densidade vibratória de que se encontram revestidos esses espíritos submissos, com mais facilidade podem alcançar as paisagens mentais e físicas dos seres humanos, a eles imantando-se e tornando-os intermediários dos programas de vingança daqueles que, por sua vez, os infelicitam.

Pode-se considerar que se trata de um fenômeno obsessivo e obsidente, porque, ao tempo em que sofrem a injunção doentia, tornam-se instrumento afligente, obsidiando outrem...

Quando essa nefanda ocorrência tem lugar, muito mais difícil torna-se a recuperação do paciente encarnado, porquanto, ignorando-se qual é o agente real da problemática, alcança-se apenas aquele que o constringe, sem atingir-se aqueloutro que é o ser constritor.

Nesse painel de ocorrências dolorosas, degeneram-se os sentimentos de compaixão e de misericórdia, tendo vigência o ressentimento e a revolta que mais agravam a situação infeliz.

O conhecimento de tal fenômeno degenerativo contribui para que todo aquele que deseja auxiliar os sofredores ergastulados nas malhas das obsessões, melhormente se equipem dos valiosos recursos espirituais para socorrer aqueles que se encontram envolvidos na terrível trama, ungido de amor e de piedade por uns e pelos outros.

Buscando-se entender a trama perversa, com o discernimento da caridade, logo a inspiração do amor dilui quaisquer sentimentos contrários que podem gerar incompatibilidade com a terapia curadora, libertando-se o agente próximo, que vai esclarecido quanto à situação em que se encontra, para atingir-se o gerador dos gravames.

Quase sempre, esse Espírito vingativo é hábil na arte da dissimulação, é conhecedor dos recursos hipnóticos de que se utiliza para submeter as vítimas desencarnadas, tem consciência do que está fazendo, no que se compraz, é discutidor inveterado, está a soldo da própria loucura...

A oração intercessória, as vibrações de bondade fraternal, sem censura nem puritanismo, os valores morais enriquecedores constituem os valiosos medicamentos utilizados pelo amor para o entendimento e o diálogo que possibilitam a sua mudança de atitude para um comportamento edificante e felicitador.

Acreditando-se feliz por perseguir, é desditoso, e fazê-lo entender essa realidade deve constituir o motivo básico da conversação espiritual entre o psicoterapeuta de desencarnados e o obsessor.

Ademais, a ajuda das Entidades venerandas faz-se relevante, fundamental, pela inspiração que proporcionam e pelos excelentes recursos de que dispõem, não conhecidos pelos que dialogam com os irmãos infelizes da espiritualidade inferior.

Jesus, por fim, e sempre, é a autoridade a ser evocada em qualquer situação, de modo a conseguir-se êxito em qualquer problema de obsessão ou de outra natureza.

❂

Na imensa variedade em que se apresentam os fenômenos obsessivos, todos defluentes da inferioridade moral dos espíritos que se encontram dominados pela necessidade de manter a pugna infeliz, existem delicadas engrenagens que merecem ser conhecidas, a fim de melhor evitarem-se as consequências dos seus desajustes.

Em qualquer forma como se expresse o tormento obsessivo, esse resulta sempre do morbo do egoísmo que fixa o ser nas faixas primárias do seu processo de evolução.

O egoísmo, no ser humano, permanece como terrível chaga moral, que deve ser tratada com perseverança e decisão, em face dos males que proporciona ao indivíduo e ao grupo social no qual o mesmo se movimenta.

Herança do primarismo do qual se procede, é o adversário da paz e da felicidade, por afligir não apenas aquele que lhe padece a constrição, mas também as outras pessoas que atormenta com os seus espículos ferintes.

Matriz de outras mazelas morais, desencadeia lutas desnecessárias, competições infelizes, perseguições insanas, quando se poderiam vivenciar diferentes experiências fraternais.

O ser humano está destinado à glória estelar; nada obstante, a longa jornada empreendida exige com frequência reflexões acuradas, de modo a conseguir-se a libertação dos atavismos inferiores do estágio percorrido, mas que ressuma, não poucas vezes, quando açodado por acontecimentos que lhe açulam a peçonha.

Em razão da sua prepotência sobre o caráter dos homens e das mulheres, toda vez quando alguém assume um comportamento ideológico, artístico, sociológico, religioso, científico, filosófico, qualquer que seja, de imediato autodeslumbra-se, considerando-se superior aos demais em atitude narcisista injustificável.

Nessa conduta aparecem os distúrbios da fascinação, que empurram o paciente para a presunção, a vaidade, a soberba...

Graças a essa conduta, abre-se-lhe um campo vibratório que proporciona a auto-obsessão e a obsessão por fascinação.

Invariavelmente, esses indivíduos que assim procedem preservam os comportamentos egotistas, comprazendo-se em vivenciar mecanismos de evasão da realidade, transferindo os conflitos para a aparência de superioridade. Em consequência, acreditam-se ou fingem acreditar que são portadores de vida irretocável e, portanto, tudo quanto fazem, a que se vinculam, é de superior qualidade, colocando-se em verdadeiros pedestais de poder e vanglória.

O orgulho que os caracteriza distancia-os do bom senso e isola-os das demais pessoas que o podem advertir, orientar, por sempre considerar-se incompreendido, invejado, combatido.

Em razão desse mecanismo de evasão da lógica, mergulham mais na prosápia e encastelam-se na autofascinação em que se consomem.

Utilizando-se das qualidades inferiores do enfermo, Entidades viciosas e perturbadoras, inimigas do ontem ou que vivem na inutilidade e se comprazem em enganar, divertindo-se com a jactância humana, acercam-se, dão comunicações retumbantes na forma e vazias no fundo, sem conteúdo digno de consideração, assinaladas pelas fantasias que agradam...

Ao mesmo tempo, elogiam o médium de que se utilizam, iludindo-o com missões especiais e exigindo comportamentos extravagantes, trajes específicos, recorrendo a informações falsas, apontando-lhe glórias terrenas que devem ser alcançadas, especialmente também *revelando* acontecimentos trágicos, desgraças e calamidades, que podem ser evitadas se as pessoas tomarem determinadas atitudes, igualmente alienantes...

A obsessão por fascinação é um capítulo doloroso das distonias espirituais, por conduzir a sua vítima a posturas caricatas, ridículas e doentias.

Quando isso ocorre na mediunidade, que poderia estar a serviço do bem e da caridade, com discrição, sem os alardeamentos que caracterizam o desequilíbrio, as suas vítimas dissimulam humildade, vivendo o campeonato da competição, atacando os demais por considerarem-se únicas portadoras da verdade.

Os seus falsos guias são prolixos, utilizando linguagem vulgar, compatível com o seu nível de evolução, agredindo e ironizando todos aqueles que não compartilham as suas extravagâncias literárias e corriqueiras informações a que atribuem grande valor, mas que a reflexão lógica, o bom-tom e o raciocínio logo desfazem.

Quando esses perseguidores são advertidos, inimizam-se com aqueles que se atrevem a admoestá-los, porque se sentem desmascarados, impedidos de continuar a farsa *missionária*... Mantendo perfeita sintonia psíquica e emocional com o médium de que se utilizam, enfurecem-no, atormentam-no ou empurram-no, galhofeiros, para a depressão, inspirando-o à fuga pelo suicídio...

A fascinação, seja narcisista ou mediúnica, é patologia muito grave, que necessita da atenção dos estudiosos sinceros do Espiritismo, por instalar-se sutilmente e dominar a mente e o sentimento da sua vítima.

É sempre de bom alvitre que todo indivíduo esteja vigilante em referência às deficiências morais e espirituais que lhe são pertinentes, dedicando-se a constantes autoexames, introspecções edificantes, estudos comparativos da forma em que se encontra, relacionando-a com as experiências do passado, cultivando as atitudes simples e despretensiosas.

Os espíritos burlões que enxameiam no mundo espiritual são habilidosos e perversos, permanecendo vigilantes na busca e seleção das suas vítimas, assim como os adversários dos homens e das mulheres, que procedem do passado, anelando por encontrar naqueles que acompanham as *brechas morais* que lhes permitam a sintonia, a colocação dos seus *plugues* nas respectivas *tomadas* psíquicas dos seus potenciais dependentes.

Por fim, a oração e a ação do bem, ungidas de amor e de beleza constituem o antídoto a esse mal, sendo preventivos incomuns e terapias sanadoras invulgares, propiciando saúde e paz.

✪

Em razão do estágio em que muitos espíritos se movimentam no corpo físico, expressivamente aquele que diz respeito às paixões mais vigorosas, remanescentes das experiências primárias, no seu comportamento afetivo, na área dos sentimentos do amor e do ódio, surgem os anseios de dominação, muitas vezes disfarçada, como necessidade emocional de autorrealização.

Nessa faixa, os conflitos existenciais permanecem ocultos, dando lugar às buscas da afetividade como a meta prioritária da existência.

Havendo predominância do prazer sensação em vez do bem-estar defluente da emoção, o amor é conflitivo e arrebatador, com nuances diversificadas, nas quais o ciúme e a desconfiança interferem amiúde, criando situações lamentáveis, sucedidas por arrependimento e desconforto moral, que não proporcionam refazimento do clima de confiança que deve existir entre aqueles que se relacionam afetivamente.

Quando, nesses indivíduos, tem primazia o amor, ei-lo que se apresenta apaixonado, arrebatador, exigindo submissão e dependência, asfixiando e atormentando.

As compensações da ternura e do carinho empalidecem ante as exigências neuróticas, inquietando o ser a quem diz amar.

Quando correspondido escraviza, e se não aceito, converte-o numa sistemática perseguição doentia, que se transforma em ódio e crueldade, levando a situações temerárias.

Como consequência, a mente em desalinho fixa-se no outro e o falso afeto converte-se em monoideia, aturdindo o enfermo emocional, que passa a atormentar aquele que lhe tombou nas malhas infelizes do desejo, passando a sofrer-lhe as descargas vibratórias doentias.

Trata-se de verdadeiras obsessões de um espírito encarnado contra outro, muito parecido com os transtornos obsessivos compulsivos, em que o paciente experimenta o desequilíbrio como realidade, em razão de estar fixado o conflito na emoção que somatiza os efeitos, produzindo os distúrbios físicos.

Durante as horas de lucidez, a mente prossegue disparando dardos vibratórios desequilibrantes na direção do outro, e quando em sono fisiológico, por efeito da fixação mental, o espírito desprende-se parcialmente do corpo e vai ao encontro do objeto da sua paixão, positiva ou negativa, tentando conúbios extravagantes, quando não mórbidos, causando mal-estar naquele que lhe padece a constrição vigorosa...

De consequências perigosas, esses afetos e ódios são molestos e atraem espíritos desencarnados do mesmo teor moral, que inspiram vinganças, estimulam crimes e induzem a desforços cruéis, como acontece frequentemente na sociedade terrestre...

Caso ocorra a desencarnação desse indivíduo, logo desperta no além-túmulo e o motivo do seu apego assoma-lhe do inconsciente à memória e passa a investir, agora com outros elementos vibratórios, contra aquele que lhe não acedeu aos caprichos tormentosos.

O que antes era uma obsessão de encarnado em relação a outro, nessa circunstância converte-se em diferente patologia, embora a matriz que a desencadeia seja a mesma: o desequilíbrio do insensato.

São mais numerosas do que se podem imaginar as obsessões entre os encarnados, e, curiosamente, o fenômeno mórbido pode assumir proporções peculiares, sendo recíprocas nos parceiros que nunca se satisfazem no relacionamento e estão sempre à caça de novas sensações, de experiências que confirmam o afeto transtornado, como se o lar fosse uma arena onde as pugnas são contínuas, a fim de ser eleito o vencedor...

O amor se aprende, se exercita, se aprofunda, não surge de maneira mágica ou sobrenatural. Nunca se impõe, jamais exige, sendo cordato e gentil.

Quando se comporta de maneira inadequada, com exigências descabidas, expressa morbo emocional, distonia mental, enfermidade...

Não se mede a intensidade do afeto pelas manifestações arrebatadoras, mas pelos silêncios, pelas renúncias, pela abnegação, pelo devotamento sem afetação nem angústia.

É necessário treinar-se compreensão, a fim de manter-se o sentimento afetivo equilibrado e digno, não se impondo a outrem que o não queira aceitar ou porque já esteja comprometido.

E mesmo quando se estabelecem os laços de reciprocidade, ainda se faz necessária a vigilância para não se derrapar nas paixões egoicas, na vulgaridade e nos caprichos que se impõem como propriedade e dominação.

As obsessões entre encarnados enxameiam nos diversos círculos do comportamento social terrestre, dando lugar a conflitos de vária ordem, por invigilância mental e moral, que desarticula o sistema emocional.

É de muito bom alvitre que se fique alerta, em relação à maneira de amar, aos anseios do coração em torno da afetividade, de forma que a ninguém se exija reciprocidade, porque, se o outro não sente respostas emocionais e orgânicas idênticas, não se encontra comprometido e tem o direito de seguir adiante em paz.

Não é o fato de amar-se a alguém que se lhe exija correspondência equivalente.

Quem pretenda amar sem exigência, que treine fraternidade legítima e, no momento próprio, o amor saudável e compensador surgirá, sem conflitos nem transtornos de qualquer natureza

Precatem-se, portanto, aqueles que se sentem sitiados pelas mentes encarnadas doentias, evitando sintonizar-lhes por intermédio da animosidade, correspondendo à antipatia, ao ódio ou mantendo diálogos mentais de ira e ressentimento...

Recorra-se à oração intercessória pelo antagonista e preservem-se os sentimentos de paz e de irrestrita confiança em Deus, mantendo-se saudável e feliz.

✪

Tratando-se da mais conhecida patologia obsessiva, a que diz respeito à injunção penosa imposta pelo desencarnado sobre o ser humano em trânsito carnal, nunca é demais examinar-lhe a etiopatogenia responsável pela sua ocorrência.

A vida humana é um processo exuberante de fenômenos que ocorrem no corpo e fora dele, sendo o de natureza espiritual o que predomina como realidade, merecendo ser aprofundado, de maneira que os seus fundamentos tornem-se conhecidos e melhormente considerados.

O mundo real, embora invisível, é o espiritual, de onde procedem todas as manifestações da aparência e para onde retornam todos os seres. Constituído de energia em variadas expressões, considerando-se o nível em que cada Espírito se encontra, é o gerador das formas que se manifestam conforme os padrões resultantes dos comportamentos anteriores, que se tornam responsáveis pelas novas condensações materiais.

Nas primeiras experiências evolutivas, os impulsos inerentes aos fenômenos evolutivos se vão transformando de instintos em fixações da inteligência que desperta, ampliando o elenco das possibilidades racionais e de sentimentos, no desenvolvimento dos germes sublimes da sabedoria adormecidos no imo.

Cada reencarnação propicia aprendizagens que se transformam em conhecimentos valiosos para novas conquistas e realizações. Os erros, que são as ações negativas, responsáveis pelos problemas de ordem moral, insculpem-se como necessidade de refazimento que se imprime no perispírito, o agente modelador da forma e de algumas funções que passam a expressar-se como efeito daquele comportamento perturbador.

É nessa comunidade viva e pulsante, causal e imortal que se originam e organizam todos os empreendimentos da evolução. Nada obstante, mesmo que não existisse o mundo físico, por desnecessidade, sempre haveria o real, esplêndido e triunfante, onde o amor de Deus vige em exuberância.

O Criador, porém, estabeleceu a necessidade da encarnação e das reencarnações como o processo mais compatível com os fenômenos próprios para o desenvolvimento intelecto-moral do espírito, destinando a Terra, como incontáveis outros orbes, para a função de escola educativa e de desenvolvimento espiritual.

As ocorrências que envolvem todos os seres, quando edificantes, elevam aqueles que as desencadeiam, sendo prejudiciais àqueloutras que amarguram e afligem, tendo-se em vista o estágio inferior em que ainda se demoram os transeuntes carnais.

É, portanto, nesse fenômeno perturbador que surgem as causas das obsessões quando, obstinadamente, quem se sente prejudicado não se resolve pelo entendimento das dificuldades do outro, da sua impropriedade evolutiva, da sua situação moral, resolvendo-se pelas pugnas odientas do revide, das cobranças, das vinganças injustificáveis.

Todos erram, cada qual dentro do seu nível emocional e intelectual, necessitando de oportunidade para o reajustamento, a recomposição do que desorganizou. Pudesse o indivíduo compreender a própria pequenez ante a vida, e se resolvesse pelo amor, naturalmente ser-lhe-ia mais fácil avançar sem os recuos que lhe dificultam a marcha e atrasam o processo da conquista de novos espaços.

É, portanto, a insensatez, são os sentimentos inferiores em predominância que abrem as comportas dos desequilíbrios que culminam em obsessões de breve ou de longo tempo, que se podem prolongar por mais de uma existência com inegáveis prejuízos para a economia moral dos envolvidos na pugna, assim como da sociedade no seu conjunto.

Nessa luta sem quartel, o mais infeliz é sempre o desencarnado, porque, vítima anterior, prossegue amargurado e em desequilíbrio, afligindo, em razão de encontrar-se em contínua aflição.

Não raro, o aspecto observado no obsidiado inspira compaixão e um sentimento de repulsa pelo seu perseguidor, sem entender-se que o primeiro está sofrendo os efeitos da sua agressividade e do seu egoísmo, enquanto o outro é enfermo que perdeu o rumo de si mesmo e esqueceu os objetivos essenciais da existência.

Todos os investimentos devem ser encaminhados em favor do atual algoz, embora a compaixão e a caridade para com o sofredor encarnado, envolvendo-os a ambos em ternura e misericórdia, que resultarão em dulcificação dos sentimentos atormentados e em bem-estar propiciador de discernimento para ambos.

O socorro ao desencarnado, mediante as orações, as vibrações de fraternidade e de interesse pela sua paz e renovação interior, serão captados de maneira eficiente, proporcionando lucidez mental e compreensão do erro em que se encontra, assim despertando para a própria felicidade com o abandono do propósito maléfico de afligir e vingar-se.

O despertamento para a nova realidade é como um parto doloroso, porque os impulsos saudáveis sofrem os efeitos do hábito doentio da perversidade, tendo dificuldade de adaptar-se à nova ocorrência.

Por outro lado, as formosas atividades espíritas desobsessivas constituem o mais eficaz tratamento psicoterapêutico, tendo-se em vista os inestimáveis recursos da mediunidade com Jesus, ensejando ao enfermo desencarnado a saudável oportunidade de (re)morrer, despertar para a realidade em que se encontra, abrir-se ao amor através da lógica e do entendimento da realidade.

Durante a valiosa discussão com o orientador encarnado, surge o real entendimento a respeito da vida e das suas finalidades sublimes, e sob as emoções que ora vivencia através do médium, anelar pela paz, readquirir a saúde espiritual.

Nesses encontros iluminativos em que os dois campos de vibrações – físico e espiritual – se identificam plenamente, predomina o de natureza causal, propiciando mais segura diretriz para as resoluções felizes.

A obsessão, portanto, seja de qual natureza se constitua, é sempre herança infeliz do primitivismo animal, que as sublimes terapias do amor de Jesus conseguem diluir e anular.

❂

Numa análise profunda em torno da problemática saúde/doença, pode-se afirmar que sempre o enfermo é o Espírito, em face dos seus compromissos em relação à vida.

Os sofrimentos que se derivam das enfermidades fazem parte da programática evolutiva do ser, que deles necessita, a fim de melhor ponderar em relação aos compromissos existenciais, nem sempre respeitados, invariavelmente relegados a plano secundário.

Sendo o processo de desgaste gerador de aflições – um dos mecanismos de que se utilizam as Soberanas Leis da Vida – as doenças fazem parte do esquema evolutivo no ser humano, proporcionando-lhe melhor entendimento da maquinaria orgânica e da sua complexidade energética além da aglutinação celular.

Nessa ocorrência, a da enfermidade, também incluem-se os fenômenos obsessivos, que podem responsabilizar-se por algumas delas, dando-lhes origem ou piorando-lhes o quadro em decorrência das afinidades existentes entre o paciente e o espírito agressor.

Vinculados pela carga emocional débito/demérito, a influência do Espírito desencarnado em relação ao encarnado, consequência de gravames praticados anteriormente, podendo também ser efeito da existência atual, tornando-se insistente presença no perispírito do seu antagonista, as contínuas cargas de energia morbosa que exterioriza terminam por desorganizar-lhe os equipamentos fisiológicos, facultando o surgimento das doenças de vária ordem.

Por outro lado, debilitando-se o indivíduo por efeito de alguma desordem orgânica, torna-se presa fácil dos inimigos que o sitiam, sofrendo-lhes as energias fluídicas perniciosas que lhe pioram o quadro na área da saúde, tornando-a mais difícil de ser recuperada.

No primeiro caso, o agente, intencional ou não, intoxica o organismo daquele que padece a insânia, perturbando os registros perispirituais que se desorganizam, produzindo na *memória das células* a perda da capacidade de repetir-se de maneira saudável, assim favorecendo contaminações por micro-organismos degenerativos que se instalam e, sem as defesas naturais dos leucócitos, igualmente *sem memória*, invadem os órgãos e produzem as enfermidades.

No segundo caso, encontrando-se o organismo agredido pela enfermidade, os fluidos deletérios do comparsa espiritual pioram o quadro, porque dificultam a reprodução celular saudável, afetando gravemente as suas organizações.

Invariavelmente, portanto, em todos os processos enfermiços que alcançam a criatura humana encontram-se presentes influências espirituais perniciosas, tendo-se em vista a necessidade do paciente resgatar os equívocos defluentes da conduta infeliz nas existências passadas.

A *Lei das afinidades espirituais,* resultantes do estágio de evolução moral dos espíritos em relação a si mesmos e ao próximo, trabalha em favor do equilíbrio cósmico no indivíduo, estabelecendo que, onde se encontra o endividado aí se faz presente o cobrador, porque ninguém pode desconsiderar os estatutos morais que vigem no universo, sem sofrer-lhes os efeitos, de acordo com o tipo da agressão praticada.

Precatem-se, portanto, todos aqueles que se encontram na vilegiatura carnal, das ciladas do egoísmo, que sabe escamotear as próprias imperfeições, inclusive tentando ignorá-las, sem que logre ludibriar as Divinas Leis, algumas delas inscritas na própria consciência.

É desse modo que a consciência culpada, esteja consciente ou não do crime praticado, elabora mecanismos punitivos autorreparadores, criando situações emocionais próprias aos conflitos, e, noutras vezes, descarregando a *culpa* nas telas delicadas da organização cerebral, que as transfere para o sistema nervoso central, é direcionada para o sistema endócrino e, por fim, para o imunológico, desestabilizando-o...

De outra maneira, a psicosfera que exterioriza o desencarnado infeliz é nociva, criando um clima vibratório pernicioso, em torno daquele que lhe sofre a presença e que passa a aspirá-la, intoxicando-se ao longo do tempo...

Infelizmente, não instrumentalizado para reagir, em razão da ignorância do fenômeno perverso da obsessão, o ser encarnado fixa-se no problema perturbador e passa a sintonizar com o responsável pela situação, mais encharcando-se das energias viciosas.

Compreendessem que vivem num mundo de intercâmbio de mentes e de ondas, de vibrações e de energias de toda procedência, melhor precatar-se-iam as criaturas humanas das intoxicações espirituais venenosas, pelo cultivar dos pensamentos saudáveis, geradores de campos psíquicos harmônicos, que se tornariam defesas naturais em relação às influências tormentosas.

Na sublime lição de Jesus, quando sugeriu: "*Buscai primeiro o reino de Deus e sua justiça, e tudo mais vos será acrescentado*", encontra-se a saudável advertência para o cultivo dos pensamentos superiores, evitando a construção ideológica de enfermidades, de desconcertos, de distúrbios da emoção.

A constância mental em torno dos valores elevados é de relevante significado, porquanto, além de beneficiar aquele que a mantém, espraia-se em volta, beneficiando todos aqueles que se lhe acercam em qualquer um dos planos da vida.

Quando alguém se aproxima de um pântano ou de um jardim, desejando-o ou não, aspira o odor característico, e, ali demorando-se, impregna-se da sua exteriorização.

No que diz respeito às ondas mentais, ao clima psíquico, a ocorrência é idêntica, propiciando cuidados em relação ao que se pensa, ao que se aspira, à forma como cada qual se comporta.

Na equação saúde-doença, portanto, é de grave significado o comportamento mental e moral que se mantém, o que dá lugar ao equilíbrio ou aos lamentáveis processos degenerativos provocados por obsessões ou por elas piorados.

✪

Quando ocorre uma vigorosa afinidade entre um agente e um paciente nas obsessões, seja resultante dos vínculos do ódio ou do amor doentio, os *plugues* do ser desencarnado encaixam-se enérgica e perfeitamente nas *tomadas* morais e psíquicas daquele que lhe sofre a injunção penosa, dando lugar aos lamentáveis fenômenos de subjugação.

A princípio, pode instalar-se o quadro deprimente com força, de um para outro momento, alienando o infeliz calceta que não se apercebeu da situação calamitosa, do sítio de que foi vitima antes do golpe certeiro e terminal. Em casos de tal natureza, a obsessão é sempre confundida com um dos diversos surtos que caracterizam as várias psicopatologias, sendo rotulada de maneira acadêmica, quando se fazem recomendadas as terapias fortes por intermédio dos barbitúricos e de outros processos enérgicos.

De outra maneira, pode ocorrer lentamente, iniciando-se nos simples fenômenos de hipnose por parte do vingador, que se vai apoderando da usina mental da sua vítima, fixando-lhe ideias deprimentes e perturbadoras.

Lentamente, a onda mental do obsessor assenhoreia--se dos centros pensantes do invigilante, que passa a ser telementalizado pelo outro, o atuante persistente, de tal forma contínua que o seu raciocínio cede campo ao *invasor*, que passa a dominar-lhe os centros da vontade, do discernimento, da emoção...

Instalada a *parasitose espiritual*, o *invasor* passa a nutrir--se das energias daquele em quem fincou raízes mentais, exaurindo-o, a pouco e pouco, culminando, quando o processo se prolonga, numa simbiose em que passa a depender das forças vitais que usurpa...

A subjugação é insidiosa hospedagem mental de um explorador desencarnado nas engrenagens humanas de quem lhe oferece *nutrição.*

É inevitável, nesse momento, que ocorra a mudança do comportamento e da personalidade do *hospedeiro*, totalmente dependente do fator externo explorador.

A ingestão tóxica dos fluidos deletérios que absorve termina por enfermá-lo, ao tempo em que, enfraquecido pela perda das energias que lhe são roubadas, afrouxam-se--lhe as fixações do perispírito nos *chakras*, agora infestados também pelas vibrações morbosas, facilitando ainda mais a predominância malsã sobre aquele que lhe padece a constrição terrível.

Amplia-se, então, o campo da perturbação, alcançando não apenas a mente, como também a emoção e o organismo em geral, de tal forma que se transformam o caráter, os sentimentos e as expressões habituais, que ficam alteradas, neles plasmadas as características do subjugador.

Os maneirismos do agente insculpem-se no paciente e dominam-no por completo.

Nessa situação penosa, modelam-se as formas em que se encontram os *hospedeiros*, produzindo os graves fenômenos de zoantropia com todas as horrendas consequências que produz.

A terrível *parasitose* de tal forma se faz profunda que, após longo período não encontra solução na atual existência, transferindo-se para além da morte da vítima atual, até o momento quando a Divindade reencaminha à Terra em rudes expiações os litigantes inconsequentes...

Todos aqueles que se encontram sob essa situação deplorável atentaram anteriormente com lucidez contra os Estatutos da Vida, ferindo-os com perversidade, e agora sofrem-lhes os efeitos danosos que causaram, que a si mesmos se impuseram...

O Evangelho de Jesus é um manancial ímpar de exemplos de subjugação cruel, que demonstram como a *Lei de Causa e Efeito* age em nome da Divina Justiça.

Não poucas vezes, o Mestre Incorruptível enfrentou esses perversos obsessores e os atendeu com misericórdia, libertando aqueles que lhes eram os instrumentos doentios. Merece destaque, entre outros, o caso doloroso do *endemoniado gadareno*, que se fizera hospedeiro de *muitos espíritos que nele se encontravam*, autodenominando-se como *Legião*. (Marcos: 5, 9)

O Sublime Terapeuta, diante desses enfermos graves, examinava-lhes, naturalmente, as responsabilidades nas justas que padeciam, penetrando-os profundamente. Após essa atitude, libertava somente aqueles que já haviam completado a recuperação e encontravam-se em condições de experimentar outros processos de renovação moral, através do retorno da saúde física, mental e comportamental.

Quando o amor vicejar nos espíritos, ocorrências profundamente desgastantes e infelicitadoras de tal porte cederão lugar à legítima fraternidade que dominará o Planeta, inaugurando, sem dúvida, a Era da Regeneração.

Por enquanto, os fenômenos angustiantes apresentam-se como necessidade dos habitantes do orbe terrestre, por ser uma das formas de compreender e de respeitar os deveres para consigo mesmo e para com o seu próximo.

Infelizmente, mesmo quando se encontram na situação de vítimas pelo que hajam sofrido, os espíritos não sofrem sem causa anterior, uma das razões pelas quais não existem inocentes reais nos processos de aflição e dor. Todos trazem as *matrizes* dos seus atos e são nelas que se fixam as ocorrências do seu passado.

Jamais se torna necessária qualquer forma de cobrança, porque o amor vigia e acompanha os culpados, convidando-os, por variados processos, ao restabelecimento da ordem e ao refazimento dos compromissos que foram esquecidos.

Qualquer tentativa de fazer justiça pela vingança, por intermédio da agressão e das sementeiras do ódio, constitui grave delito, porque somente o amor possui todos os recursos para o ajustamento das criaturas aos Códigos Soberanos.

Por essa e muitas outras razões, o amor é sempre o campo sublime de preservação da saúde e do bem-estar, terreno fértil onde se semeia a felicidade e se recolhem os frutos sublimes da alegria de viver e da paz.

Toda vez, portanto, que os sentimentos inferiores desejarem impor-se em consequência de alguns fatores que os podem desencadear, será convidado o amor a fim de que anule a força degenerativa, restabelecendo o equilíbrio e trabalhando pelo perdão, pelo progresso pessoal e o de todos.

Somente ocorrem os graves fenômenos obsessivos quando o amor bateu em retirada, deixando vazio o espaço no qual se instalaram as condições propiciatórias para a ocorrência perturbadora.

O transtorno de natureza obsessiva, na sua apresentação multifacetada, constitui-se psicopatologia de difícil diagnóstico, quando numa anamnese apressada.

Por tratar-se de enfermidade do espírito, varia de acordo com a multiplicidade de valores que tipificam cada qual.

Seus interesses, sua constituição moral/emocional, seus anseios mentais e o cultivo de ideias infelizes proporcionam ocorrências típicas e individualizadas, sendo, em cada manifestação, assinalada por sintomas específicos.

Na sua generalidade, é sempre a ação doentia de um Espírito impondo-se a outro, seja encarnado ou desencarnado, ou mesmo nas múltiplas categorias que vimos abordando.

O que desencadeia esse fenômeno perverso, na área da saúde mental, que também pode afetar a emocional e a física, é a consciência ultrajada pelos gravames cometidos em existências transatas, ou mesmo na atual, por aquele que padece o cerco infeliz e a morbosidade do seu perseguidor.

De igual maneira, ninguém se encontra na Terra para sofrer, senão para reparar os delitos praticados e desenvolver os valores espirituais que lhe dormem no imo, nenhum comprometimento com o mal fica a descoberto ou diluído sem a contribuição do próprio infrator.

Ao referir-nos a esse comportamento nos termos apresentados, pode parecer que estejamos sendo severos demais em relação àqueles que se permitem os vícios e os engodos, afinal, quase todos nós, derrapando nas condutas extravagantes e cruéis.

Em realidade, não é esse o nosso objetivo. Antes, desejamos despertar a consciência dos encarnados para as responsabilidades que lhes dizem respeito enquanto transitam na organização fisiológica, para o significado da existência corporal, suas excelentes oportunidades de crescimento moral e de reparação dos atos culposos. Ninguém frui das bênçãos da reencarnação sem que esteja vinculado a uma finalidade especial e a propostas complementares em favor da autoiluminação. Essa concessão das Divinas Leis ao espírito em processo de crescimento constitui-lhe preciosa contribuição em favor das infinitas possibilidades de progresso que se lhe encontram em germe.

Necessário, portanto, aprimorar os sentimentos, cultivando a mente com os valiosos recursos do conhecimento que iluminam a inteligência, a fim de agir corretamente, tornando-se eficiente aprendiz da vida.

Mas não é isso o que normalmente ocorre. De um lado, a ignorância a respeito da evolução moral, as facilidades sensoriais para o gozo a qualquer preço, as ambições desvairadas, decorrentes da deseducação espiritual, a irresponsabilidade que tipifica os períodos menos elevados do processo iluminativo, contribuem, infelizmente, para o olvido das responsabilidades, permitindo-se a entrega à luxúria, aos mecanismos infelizes que facultam a aquisição de recursos que não são dignos, incluindo os métodos utilizados para alcançá-los.

As emoções em desgoverno, invariavelmente, aspiram ao prazer exorbitante, como se nada mais houvesse além das sensações escravizadoras, empurrando as suas vítimas para a usança de expedientes ilegais e de métodos abomináveis, pelos quais emaranham-se nos cipoais do crime e da adversidade.

Suas vítimas, aqueles indivíduos que se lhes padecem as injunções negativas, encontrando-se em patamar evolutivo semelhante, não têm condições de compreender as façanhas mórbidas desses desalmados e transformam-se em seus adversários insensíveis, em relação ao que sofreram por causa do alucinado e da maneira como foram tratados...

Em decorrência, buscam-nos, incessantemente, e, ao encontrá-los em nova indumentária, ao identificá-los, inspiram-nos pensamentos sombrios, estimulam-lhes as paixões perigosas, imantam-se-lhes, passando a comandar-lhes a *casa mental*, as áreas correspondentes às sensações e aos gozos, obsidiando-os com inclemência.

Vez que outra, reencontram-se quando ambos estão reencarnados e os antigos sentimentos que os uniram ou separaram assomam voluptuosos, transformando-se em buscas perigosas de afeições impossíveis ou em afastamentos físicos e mentais recheados de ressentimentos e ódios, convertendo-se, reciprocamente, em inimigos ferozes.

Muito comum, no entanto, a afeição ressurgir durante a experiência que exige renúncia, por falta de mérito na construção de uma união saudável, dando lugar a comprometimentos morais danosos, que mais atormentam do que proporcionam bem-estar. A paixão toma o lugar da afetividade, o desejo lúbrico transforma-se em sede insaciável de gozo, os tormentos se apresentam em forma de ciúme e desvario, tornando-os obsidiados um pelo outro, enleados nas redes da insensatez carnal.

Confunde-se muito, na Terra, amor com tormento sexual, ternura com necessidade de presença física constante, afeição e amizade com imposições constrangedoras quão inquietantes.

Quando se ama, o bem-estar da afetividade enriquece de alegria o ser que não tem necessidade de permuta de qualquer natureza. Se esse intercâmbio ocorre dentro dos impositivos morais e legais, constitui estímulo à jornada, apoio superior aos programas abraçados, companhia delicada para os momentos difíceis... No entanto, quando se expressa como ânsia de posse, aflição que perturba os sentimentos, torna-se verdadeira provação que deve ser conduzida com sabedoria.

Esse sentimento ansioso e torpe é resíduo do passado, em desejo ultrajante que, consumado, se transforma em dependência fluídica, convertendo-se em obsessão de um pelo outro encarnado.

No inevitável tormento que se estabelece, inimigos do ontem acercam-se e comprazem-se em explorar as forças genésicas de ambos os parceiros, imiscuindo-se na comunhão carnal e tornando-se vampirizadores das suas energias.

Assim sendo, todo relacionamento sexual deve ser estruturado obedecendo a paradigmas de afeto tranquilo, com respeito de um pelo outro, abençoando a união com a ternura e o sentimento de alegria pela oportunidade de estarem juntos.

Estabelecida, no entanto, a injunção obsessiva, faz-se inadiável a revisão de conduta mental e moral de um deles, ou de ambos, de forma que se diluam as *tomadas* psíquicas, que permitem a fixação dos *plugues* espirituais dos desencarnados, que não mais encontrarão ressonância das suas influências mórbidas afetando os antigos comparsas.

Todos têm direito de reconstruir-se, de renovar-se, de crescer na direção de Deus.

A Divindade não necessita de intermediários para que se resgatem dívidas, possuindo recursos incalculáveis que são postos no caminho da dignificação dos rebeldes, de todos aqueles que se encontram assinalados pelos desaires que se permitiram.

O autoconhecimento, que trabalha pela transformação moral do ser humano, desde que haurido nas lições sublimes do Evangelho, transbordando em amor e compaixão para com a humanidade, facilita a renovação interior e proporciona coragem para o recomeço das atividades dentro dos padrões éticos e morais exigíveis no processo reparador.

Adquirido esse conhecimento, logo a existência se transforma, proporcionando a saudável ocasião de servir ao próximo, de converter-se em trabalhador do bem, assinalando os passos com as ações nobilitantes da amizade fraternal, da compaixão espiritual, da caridade libertadora.

A caridade é, desse modo, o clímax do esforço de quem deseja libertar-se de qualquer transtorno obsessivo, por ensejar perfeita identificação com o Cristo de Deus, haurindo nEle forças e coragem para enfrentar as sombras do caminho e os espículos da marcha.

Ninguém desalgema outrem que se permitiu aprisionar no vício, permitindo-se a vinculação obsessiva. Poderá, certamente, auxiliá-lo no processo de autoiluminação, afastar por persuasão ou mediante a aplicação da bioenergia o perseguidor de um ou do outro plano da vida, mas o esforço de renovação e a conduta saudável sempre serão realizados por aquele que se encontra na situação afligente.

Da mesma forma como tombou no abismo por livre e espontânea vontade, assim deverá proceder, assomando do fosso e conquistando-lhe a borda, por onde sairá na direção da paisagem venturosa da saúde mental e emocional, para os tentames da evolução que o aguarda.

18
Obsessão narcisista

Dentre as psicopatologias graves que aturdem as criaturas humanas, o transtorno obsessivo compulsivo desempenha papel de relevância na área da saúde mental.

Insculpido nas tecelagens delicadas da complexidade perispiritual, exterioriza-se como instrumento corretivo de graves comportamentos morais que ficaram no passado e cujos efeitos foram transferidos para o presente.

O transtorno obsessivo compulsivo é de natureza mental, que se encontra no cotidiano dos seres humanos, sendo um dos diversos transtornos de ansiedade. Caracteriza-se pelas alterações da conduta do paciente, que passa a deter-se em rituais, repetições, cuidados exagerados, assim como pelos pensamentos repetitivos, como dúvidas, verdadeiras fixações e excesso de preocupações, mesmo quando esses não se justificam, modificando o ritmo das emoções, que se expressam com predominância do medo, da aflição, da culpa, da depressão.

Imagens indesejadas dominam-lhes a mente, produzindo ansiedade e inquietação, assim como se entregam a verdadeiros rituais, que são os comportamentos repetitivos, na vã esperança de diminuir o desespero que permanece na conduta em forma obsessiva. Destacam-se, dentre outros, a tensão em torno do excesso de limpeza, que leva o paciente a lavar as mãos ou lavar-se demoradamente e por muito tempo, a captação de odores pútridos inexistentes, especialmente iguais aos de cadáveres humanos, o alimento cozido em demasia ou assado exageradamente, expressando o transtorno e conduzindo à compulsão.

As obsessões, nesses casos, são imagens mentais que se tornam insistentes e predominantes, variando em palavras, frases, números, músicas *cantando* na mente sem cessar, logo seguidas de receio, angústia, culpa e mal-estar. Essa ocorrência dolorosa não encontra limite, mesmo quando o paciente insiste em superar a situação perturbadora, sabendo conscientemente que não têm razão de ser.

Esse transtorno apresenta-se de formas muito variadas e sutis, sendo mais comum nos indivíduos do que se imagina.

Muitas ações repetitivas que parecem naturais são compulsões e rituais, como, por exemplo: arrumar tudo quanto encontra, manter a simetria, orar jaculatórias, ter fixação com números cabalísticos, verificação do que fez, como confirmar se fechou a porta, se desligou a luz ou a televisão, ou o fogão... Podem expressar-se apenas mentalmente, como repetir frases inteiras ou palavras sacramentais, reviver imagens de acontecimentos, insistir em números, procurar afastar maus pensamentos substituindo-os por bons...

Evidentemente, a terapêutica para esses casos deve ser cuidada por especialistas em saúde mental, com cuidado e perseverança.

Em face dos gravames cometidos anteriormente, aqueles que foram vitimados pela crueldade e vilania dos atuais pacientes imantam-se-lhes psiquicamente através do perispírito, exaurindo-os com o açodar do perverso transtorno. Provavelmente, os rituais religiosos que marcaram o indivíduo em períodos anteriores da existência agora repetem-se de maneira patológica, infelicitando-os.

Vampirizando-lhes as energias enfermiças de que são portadores, defluentes do remorso, mais os intoxicam mediante o encharcamento com os seus fluidos deletérios, que os transtornam e degradam.

Ao lado dessa dolorosa terapia moral para a recuperação espiritual dos calcetas, outros comprometidos com a vida apresentam-se portando os complexos de inferioridade, de narcisismo, na fronteira da timidez e do pavor que lhes amarfanham a existência em contínua frustração...

Detendo-nos no aspecto narcisista de alguns desses pacientes, quando impossibilitados de exteriorizar o conflito refugiam-se nos ideais e cometimentos edificantes ou não, realizando mecanismos de fuga psicológica espetaculares, através dos quais, imprevidentes, mergulham no poço das obsessões espirituais também conhecidas como por fascinação...

A necessidade de apresentar-se em postura superior aos demais, acreditando-se destinados a realizações grandiosas, quando se apoiam em crenças e filosofias, tornando-se exaltados, fanáticos, fascinados.

Somente eles, pensam, são capazes de discernir corretamente, e as suas são sempre opções mais nobres, que devem ser acatadas sem discussão pelos demais, que são tidos por incompetentes para a própria escolha ou ineptos para as decisões significativas.

Essa conduta lamentável torna-se mais chocante e alienadora quando são portadores de mediunidade.

Não considerando o impositivo moral que tem caráter primordial na educação e desenvolvimento da faculdade, supõem-se privilegiados e merecedores de missões especiais e ministérios exclusivos.

Desconsiderando a disciplina mental e a observância das lúcidas orientações de Allan Kardec, em *O Livro dos Médiuns,* exageram no treinamento, em especial na psicografia, permitindo a presunção de sintonizar somente com os nobres Mensageiros, com os quais supõem manter contato direto e contínuo.

Olvidando a condição moral da humildade e sem a reflexão em torno da qualidade dos ditados mediúnicos, quando o são, tornam-se fáceis presas dos espíritos zombeteiros e perversos que se utilizam da sua empáfia para levá-los ao ridículo...

Não permitem interferência de outras pessoas mais conceituadas e lúcidas, que os advertem, convidando-os ao equilíbrio, à reflexão.

Nesse estágio, consideram todos aqueles que se não submetem às absurdas imposições resultantes das pretensiosas comunicações como competidores, fechando-se na ilusão a que se aferram, agravando o estado até tombarem no total desequilíbrio.

Uns, mais insensatos e mais hábeis, vestem a túnica da falsa humildade para conquistar os incautos e tornam-se reveladores do mundo espiritual, culminando com desvarios da imaginação pessoal, assim como os daqueles que lhes são insuflados e transmitidos pelos obsessores.

É unânime o conceito de que as ocorrências e a constituição da vida na Terra são uma cópia imperfeita, como compreensível, da erraticidade, mas esses fascinados descrevem-na de maneira tão grosseira, que deixam transparecer que é ao contrário, tratando-se a verdadeira de uma cópia da terrena...

Conseguem adeptos com facilidade para compartir as suas ideias e revelações chocantes, que os cercam de bajulação e mais lhes incensam a vaidade, apontando as demais criaturas como suas inimigas por inveja, por disputa infeliz, por insensatez.

No afã insano de chamarem a atenção, tornam-se prolíferos nos trabalhos espirituais de má qualidade, desrespeitando nomes dignos e veneráveis de que se dizem instrumentos, pensando em validar as mensagens pueris com essas assinaturas respeitáveis.

Pecam, porém, no conteúdo, na falta de estilo e de características identificadores dos escritores que se apresentam de maneira caricata e portadores de linguagem vulgar ou chula, que não é utilizada por essas entidades enobrecidas.

Essa obsessão narcisista na mediunidade é mais comum do que parece, merecendo cuidados especiais para reequilibrar o enfermo espiritual encarnado, que normalmente se recusa ao tratamento indispensável.

É de bom alvitre que os idealistas e os médiuns em geral estejam sempre abertos aos diálogos fraternos e equilibrados. Que se considerem susceptíveis de erros e de enganos que devem corrigir quando convidados à reflexão e os constatarem.

Por outro lado, o convívio com os sofredores – *os filhos do Calvário,* na conceituação de Jesus – é valioso, porque com eles poderão haurir simplicidade de coração, pulcritude e sentimento de abnegação.

Arrimando-se à oração e à meditação em forma de autoexame, perceberão a fragilidade de que se encontram possuídos, precatando-se contra o narcisismo e as influências morbíficas das obsessões por fascinação.

O mesmo procedimento deve ser realizado pelos pacientes portadores do transtorno obsessivo compulsivo, em Jesus e no Seu amor encontrando a saúde real.

19

Obsessão pandêmica

Na atualidade social/moral do planeta terrestre, dois fenômenos em torno dos relacionamentos humanos fazem-se assinalar de maneira expressiva: o coletivismo e o individualismo.

No primeiro caso, conforme assinalam diversos estudiosos da conduta, há uma necessidade de realizações coletivistas, nas quais o indivíduo perde a sua identidade, consumido pelas aspirações e sentimentos do *mesmismo* dominante no grupo atuante. A sua capacidade de decidir e de opinar é asfixiada na avalanche do todo, eliminando a possibilidade de melhor aprofundar a investigação em torno das questões apresentadas, facilitando-se a sua divulgação apressada, não poucas vezes, insensata...

Assumem-se idênticas posturas, labora-se com semelhantes objetivos e as extravagâncias sobrepõem-se aos nobres projetos do idealismo saudável, seguindo-se a onda dominadora do tudo igual.

Rapidamente as novidades tomam corpo e são divulgadas, igualando os comportamentos e os hábitos sociais, lamentavelmente, nas suas expressões menos elevadas, no entanto, mais cômodas e prazerosas.

A globalização social padroniza o que é certo e programa dentro dos seus esquemas de interesses negocistas o conveniente e sedutor, anestesiando as mentes sonhadoras e independentes que terminam por ser vencidas em face do volume da massa que triunfa e pela algazarra das vozes em desalinho...

Desaparece o espaço para a iluminação pessoal, a introversão edificante e a análise de situação diante dos acontecimentos que se sucedem rapidamente.

Tem-se a impressão de que o viver e o gozar agora são essenciais, e que, logo mais, tudo mergulhará no caos...

Os hábitos sadios, a cidadania, o ético são nivelados ao espúrio e ao vulgar pelos multiplicadores de opinião, pelos líderes de audiência nos veículos de comunicação de massa, na insensatez e na alucinação dos sentidos.

São apresentados como legítimos os comportamentos anteriormente tidos como alienantes, mas que, de súbito, ganham prestígio, porque propostos por personalidades famosas, mas que alcançaram o destaque por meios pouco recomendáveis.

As conquistas coletivistas igualam executivos e trabalhadores, políticos e artistas, comerciários e juristas em padrões estranhos, que são aceitos, de forma a não os diferenciar, em cujos grupos são exaltados o egoísmo, o imediatismo, o poder de qualquer maneira, lícita ou desonestamente.

É certo que há significativas exceções, que se constituem modelos para o futuro da sociedade, quando soçobrar este período de avalanches de desequilíbrio.

Os encontros sociais quase sempre são vazios de conteúdo, nos quais discute-se muito e ouve-se pouco, porquanto cada qual está fixado no seu próprio interesse, logrando-se realizar contatos volumosos com pessoas solitárias, evocando-se os grupos antigos que se reuniam nas hoje decadentes cortes, conforme as ambições, apoiando-se uns nos outros ou sorrindo e conspirando uns contra os outros, em insidiosas armadilhas propostas pela hipocrisia e pela desconfiança.

O segundo grupo, evadindo-se da balbúrdia, pretende que sejam evitados problemas individuais e gerais, refugiando-se na intimidade dos seus lares ou gabinetes, dos seus escritórios, suspeitosos e irascíveis, como utilizando-se de mecanismos protetores de defesa em que se encastelam.

Outros tantos indivíduos, escamoteando os transtornos sociofóbicos, recorrem à comunicação virtual e alienam-se da família, daqueles que se lhes afeiçoam, assim como dos demais companheiros de jornada, para as incursões doentias no fantástico e maravilhoso mundo da Internet, no qual ocultam as dificuldades pessoais e exibem os anelos frustrados de glória e de realização pessoal.

Olvidando-se do instinto gregário que reúne todos os animais à volta uns dos outros, isolam-se, muito perturbando-se nos sombrios guetos em que se acolhem.

A facilidade da convivência fraternal, os júbilos dos encontros amigos, os diálogos edificantes entre aqueles que se estimam, o intercâmbio de ideias no calor da vivência com o seu próximo cedem lugar às fugas espetaculares, que permitem ampliar o medo da morte, da doença, do desemprego, da traição, mas principalmente os receios absurdos da vida e do amor.

Temem amar, receando não serem correspondidos, o que representa insegurança pessoal e desequilíbrio emocional, por impedir-se a inefável alegria de intercambiar sentimentos dignificantes.

Ambos os grupos, a pouco e pouco, distanciando-se, perdem a faculdade do relacionamento saudável, do calor da convivência, da emoção resultante da permuta de ideias e de aspirações.

Naturalmente permanece expressiva e inatacável faixa de pessoas saudáveis, que se sustentam na comunicação pessoal acolhedora, nas buscas de mais adequadas soluções para os problemas e desafios do momento, interessados no bem-estar de todos e certamente no progresso individual e social.

Nos referidos grupos coletivistas e individualistas, mesmo quando parecem viger sentimentos religiosos, ei-los adstritos aos significados egoísticos que abraçam, insensíveis às necessidades da humanidade que sofre e aguarda ajuda para desenvolver-se.

Como a vida pertence ao espírito, encontrando-se no corpo ou fora dele, os seus sentimentos e pensamentos mesclam-se em perfeito intercâmbio com aqueles que lhes são afins.

Predominando as paixões inferiores na grande maioria dos reencarnados e desencarnados que povoam o orbe planetário e o seu entorno, é compreensível que terminem identificando-se psíquica e moralmente, dando lugar às infestações e obsessões tanto individuais quanto coletivas...

Sutilmente, participando dos interesses dos incautos na viagem corporal, seus inimigos desencarnados instilam--lhes ideias doentias até apossarem-se do seu raciocínio, fazendo-os tombar inermes nas suas hábeis armadilhas.

Noutras ocasiões, agridem-nos com violência, produzindo-lhes surtos de morbidez que os avassalam, arrastando-os indefesos aos seus objetivos infelizes.

Geram-se transtornos emocionais, psíquicos, e com igual intensidade enfermidades simulacros.

Os fluidos morbíficos ingeridos psiquicamente pelo reencarnado misturam-se aos complexos mecanismos das neurocomunicações cerebrais, da mitose celular, dando lugar a desorganizações fisiológicas, agredindo o sistema imunológico através do qual agentes destrutivos da fauna microbiana atacam o organismo, instalando enfermidades reais ou provocando sintomas perturbadores.

A Divindade sempre proporciona os recursos hábeis para a precaução ao terrível flagelo e para a sua recuperação quando já instalado.

Desatentos, porém, e comprazendo-se na inferioridade dos sentimentos, perseguidores e perseguidos optam pelo combate inglório da ignorância, ampliando a área dos vitimados pela obsessão.

Os estímulos exagerados ao prazer e não ao cometimento abrem as comportas morais para a simbiose emocional e se torna difícil estabelecer a fronteira separativa do que é lícito e se pode fazer em relação ao tudo conseguir, devendo o máximo fruir.

O espetáculo, pois, da obsessão pandêmica, choca e comove, sensibilizando o inefável amor de Jesus, que promove as reencarnações de nobres mensageiros para o esclarecimento da sociedade a respeito da angustiante situação, através da reconquista ética do amor, do dever, da fraternidade, do perdão, da oração e da caridade...

As trombetas do Além soam e convocam os servidores do Bem a que bradem e cantem o poema da saúde e da paz, embora a algazarra generalizada, conseguindo sensibilizar muitos que ainda podem ser despertados e liberados da situação deplorável.

O *vigiai e orai* torna-se de incomum significado terapêutico, neste momento, a fim de prevenir a sociedade a respeito da infeliz pandemia, assim como para libertar os ergastulados nas amarras e prisões da momentânea enfermidade moral/espiritual.

20
"Passesterapia"

"Restituí a saúde aos doentes..."

(Mateus: 10, 8)

A proposta de Jesus para que os Seus discípulos se aplicassem ao ministério da cura das enfermidades que afligem as criaturas humanas encontra suporte abençoado na terapia através dos passes.

A transmissão da energia constituída por *raios* psíquico-magnéticos está ao alcance de todas as criaturas que se queiram devotar à ação do bem.

O *dom de curar* não constitui privilégio de ninguém, embora algumas pessoas sejam mais bem aquinhoadas dos recursos energéticos destinados a esse fim.

Desejando contribuir em favor da saúde do seu próximo, cabe ao interessado equipar-se dos recursos hábeis para o desiderato.

Inicialmente, o desejo sincero de servir torna-se-lhe fundamental para o empreendimento a que se propõe. Interessado em adquirir o conhecimento para lograr os resultados melhores, cabe-lhe conhecer a natureza humana, a constituição orgânica e os fulcros de energia no corpo físico, bem como no perispiritual, assim também as leis dos fluidos, desse modo, equipando-se com os elementos valiosos indispensáveis ao tentame.

Em seguida, torna-se necessária a consciência do contributo que deve oferecer, trabalhando os sentimentos da simpatia, da amizade e da compaixão, a fim de envolver o enfermo em ondas de energia favorável à sua recuperação.

Cuidados especiais são-lhe imprescindíveis, tais como a higiene física e mental, mediante os hábitos superiores da oração e dos bons pensamentos, cultivando as ideias edificantes, reflexionando em páginas portadoras de conteúdos morais relevantes, para servirem de sustentáculo emocional ao equilíbrio.

A mente é a fonte geradora da energia que procede do Espírito e se transforma em ação. Todo e qualquer investimento inicia-se na *sede da alma*, transformando-se em ideia e corporificando-se em ato.

Pensar corretamente, cultivando os ideais do amor, da fraternidade e do bem, é a regra áurea para uma existência saudável, e, portanto, para ser repartida em favor daqueles que se encontram em situação menos favorável.

Adotando atitudes morigeradas e evitando qualquer tipo de comportamento esdrúxulo ou carregado de misticismo, o passista deve manter-se sempre sereno e em condição de sintonia com os abnegados mentores do Mais Além.

A iniciativa do bem nasce no sentimento da criatura humana e encontra ressonância na Espiritualidade que, de imediato, faz-se presente através de nobres amigos dedicados ao labor da misericórdia e do progresso.

Naturalmente, à medida que o passista se afeiçoa à atividade e adquire autoconfiança, mais facilmente registrará as presenças dos nobres guias espirituais que passarão a supervisionar-lhe a tarefa, predispondo-se ao auxílio valioso com segurança por seu intermédio.

O passista é alguém que opta pelo edificante serviço de ajuda ao próximo por ocasião da sua problemática na área da saúde. Mas, não somente pode ser útil no período de enfermidade, quanto também nos processos de revitalização de energia dos que estão mais debilitados, assim como na renovação de entusiasmo e de forças para o prosseguimento da jornada reencarnacionista.

De igual modo, favorece a solidariedade por meio da conversação edificante, do aconselhamento fraternal, ensejando a quem necessite, diretrizes dignas para o feliz desiderato existencial.

Trabalhando-se emocionalmente e cada vez mais conscientizando-se da responsabilidade assumida, é imperioso esforçar-se para adquirir e multiplicar os bônus de energia que possa doar. Tal recurso é conseguido como decorrência natural do esforço que empreende e da dedicação ao serviço socorrista.

Conhecendo as áreas em que se instalam os *chakras*, que são verdadeiros *centros de força*, que podem e devem ser ativados, a fim de que os recursos terapêuticos sejam absorvidos pelo perispírito, mais fácil lhe será o procedimento especializado...

De bom alvitre também, ter em mente que a investidura curativa não o imuniza contra os agentes do mal, as contaminações, os desgastes, os fenômenos perturbadores, as possíveis obsessões, os transtornos do cansaço e do mal-estar...

Todo indivíduo encontra-se sujeito às intercorrências da jornada empreendida, não havendo regime de exceção, e caso houvesse daria lugar a procedimentos de injustiça nos Divinos Códigos, privilegiando uns em detrimento de outros.

O trabalho é o campo especial de desenvolvimento dos valores adormecidos no ser, que se agiganta na razão direta em que empreende as atividades de enobrecimento moral e espiritual. Desse modo, a ginástica para o Espírito é o contínuo labor em benefício da autoiluminação.

Para bem desincumbir-se, portanto, do mister aceito espontaneamente, é necessário ao passista desfrutar de saúde, especialmente moral, tanto quanto psíquica, emocional e física, a fim de poder transmiti-la com eficiência aos necessitados que o busquem.

Sempre que experimente, porém, algum mal-estar ou qualquer outra sensação desagradável durante a operação socorrista, é justo considerar que algo se encontra desajustado nele próprio. Por certo, deve estar intoxicado pelos resíduos de vibrações negativas, por tentativas de perturbação provindas de fora, por obsessão instalando-se...

Cabe-lhe suspender de imediato o concurso fraternal e, mentalmente, em clima de calma, sem qualquer prática externa, concentrar-se, e, pelo pensamento, procurar eliminar as energias deletérias, expulsando-as das áreas em que se encontram localizadas, fazendo-as sair pelas extremidades inferiores...

Noutras circunstâncias, é de bom alvitre, antes da aplicação dos passes nos enfermos, fazê-la em si próprio através dos recursos mentais de que é portador.

A irrestrita confiança em Deus, conectando-se às Fontes da Vida, proporcionará a correta captação de forças psíquicas e fluídicas que serão transmitidas aos sofredores, auxiliando-os na necessária recuperação.

Em qualquer cometimento, portanto, de natureza espiritual, são indispensáveis o amor e a caridade como recursos transcendentes para os bons resultados do labor em desenvolvimento.

Conscientizando-se de que sempre transitará na faixa vibratória dos próprios pensamentos e atos, a manutenção dos valores otimistas e edificantes torna-se de vital significado.

Restituí a saúde aos enfermos – propôs Jesus – enfermos, que somos ainda quase todos, nEle, o sublime Psicoterapeuta, encontramos o apoio necessário, a fim de servirmos com abnegação, certos de que ao longo do tempo conseguiremos a saúde integral.

Este livro foi impresso na
LIS GRÁFICA E EDITORA LTDA.
Rua Felício Antônio Alves, 370 – Bonsucesso
CEP 07175-450 – Guarulhos – SP
Fone: (11) 3382-0777 – Fax: (11) 3382-0778
lisgrafica@lisgrafica.com.br – www.lisgrafica.com.br